PAPELMANÍA

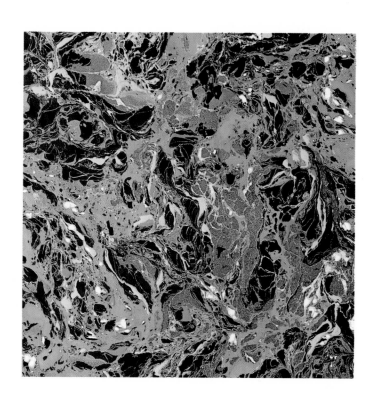

IDEAS PARA CREAR CON PAPEL

Desde técnicas básicas hasta ideas originales

Faith Shannon

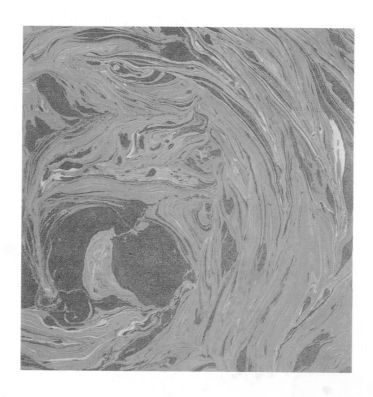

Fotografías de Peter Marshall

Papelmanía
Ideas para crear con papel
Faith Shannon

Capítulos *Elaboración de papel y Papel jaspeado:* Jenni Grey

© 1987 Mitchell Beazley Publishers
© 1991 Grupo Anaya, S.A.

Edición española:
   Director ejecutivo: Antonio Roche
   Dirección editorial: Manuel González
   Traducción: Leticia de Legarreta Castrejón
   Fotocomposición: Jalme

Depósito legal: M - 10.532 - 1991
ISBN: 84-207-4216-3
Impreso en España por Nuevo Servicio Gráfico Ibérico, S.A.
Encuadernación: Atanes-Lainez, S.A.

Los editores han prestado particular atención a las instrucciones que se proporcionan en este libro con el objeto de confirmar que éstas sean exactas y seguras, por lo que se eximen de cualquier responsabilidad resultante debida a lesiones, daños o pérdidas, tanto personales como materiales, ya sean de forma directa, a consecuencia, o de cualquier otra índole.
El autor y los editores agradecerán toda aquella información que contribuya a mantener al día las futuras ediciones de esta obra.

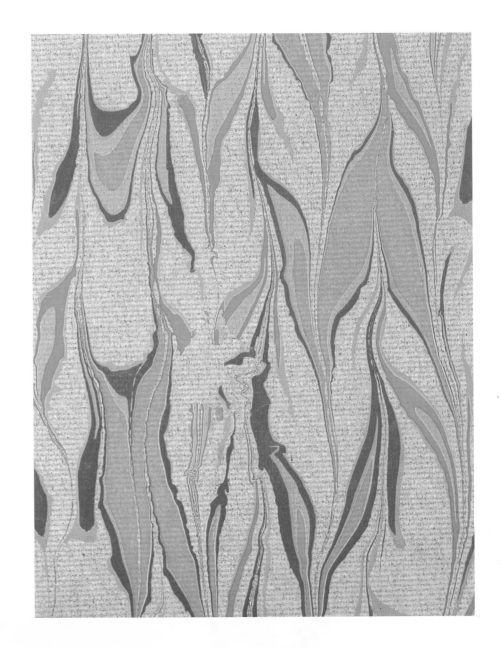

CONTENIDO

Aún recuerdo la sensación, el olor, e incluso el sonido, de los distintos papeles de mi infancia, cuando me pasaba horas enteras inventando objetos de papel según mis propias normas.

PREFACIO

Viendo a la distancia me doy cuenta que ya desde niña empecé a ser consciente de las infinitas posibilidades creativas que ofrece el papel. Encima del papel se puede escribir y dibujar; se le puede pintar y decorar en una variedad sin fin de maneras; con él se pueden forrar cosas y fabricar objetos planos o tridimensionales. El papel —según aprendí con el tiempo— puede llegar a emplearse incluso en la confección de ropa y en la construcción. Durante la época victoriana se fabricaba mobiliario a base de papel. En resumen, el papel resulta ser extraordinariamente adaptable, tanto que la mayoría de nosotros tiende a olvidarse de su importancia, aunque creo que para hacer justicia habría que aprender de nuevo a prestarle la atención que merece. Mi interés particular en el presente libro proviene de la experiencia vivida como maestra de técnicas de encuadernación para personas que cursan diversas disciplinas. Aquellos que estudian para ser diseñadores gráficos o ilustradores cuentan con la ventaja de una mayor disposición para realizar experimentos, pero, en todos los casos, creo que cualquier persona es capaz de dejar que se manifieste esa actitud experimentadora, especialmente cuando existe el estímulo que la propicia. Todos mis alumnos han tenido las mismas dificultades al principio, si bien quienes tienen menos dotes artísticas las han sabido abordar de formas ligeramente distintas, ya que posiblemente son más inhibidos y están más preocupados por hacer las cosas bien. Sin embargo, nunca pasa demasiado tiempo antes de persuadirlos de que aún los errores pueden ser aprovechables, tanto como experiencia, como para convertirse en punto de arranque de un trabajo diferente que decidan emprender en el futuro. En *Crear con papel* he intentado reflejar la importancia del aprendizaje mediante la experiencia y el experimento. No creo en absoluto que haya que ofrecer un prontuario de instrucciones didácticas que deban aplicarse rígidamente al milímetro. De todas formas, en este libro se proporcionan numerosas explicaciones de los procedimientos, aunque todas ellas están dirigidas a hacer la información más clara y no a estandarizar los experimentos. Me considero profundamente interesada en la importancia del tacto, de la sensación. El papel casi *exige* una completa atención mientras se trabaja con él. Es preciso dedicarse a fondo para conseguir su potencial máximo y apreciar, a través del contacto con los dedos, el carácter distintivo de cada pliego con el que se trabaja. Ése fue mi descubrimiento cuando aún era pequeña. Como maestra, aprendí que diciendo a los alumnos que un papel determinado era costoso o valioso, veía con interés su cambio de actitud mientras manipulaban los pliegos con gran curiosidad e interés.

Ya sea que el papel se adquiera en una tienda o se elabore en casa, creo que ésa es la forma de conciencia táctil que merece. En la medida en que se empiecen a poner en práctica los distintos ejercicios que se ofrecen en este libro, se irá apreciando la sorprendente adaptabilidad del papel. Conforme vaya avanzando el conocimiento del material, igualmente aumentará el placer que deriva de su contacto.

Agradecimientos de la autora

Muchos de los ejemplos expuestos en esta obra fueron desarrollados por estudiantes de medio tiempo y del primer año de Diseño Gráfico de Brighton Polytechnic de Sussex. Tengo una deuda con ellos, no sólo por su destreza, sino por sus ideas entusiastas. Fueron ellos, y otros muchos estudiantes, quienes contribuyeron a dar forma a este trabajo. Agradezco en particular a Harriet Topping, Gill Parris, Sue Dogget, David Lewis y Georgina Lee. Otros más, cuyos trabajos no pudieron figurar aquí, merecen igualmente mi agradecimiento por compartir conmigo la divertida experiencia de trabajar con papel. He de manifestar de manera especial mi gratitud a Jenni Grey, una de mis ex alumnas, convertida ahora en una reconocida encuadernadora con una merecida fama que se acrecienta día a día. Desde sus tiempos de estudiante, Jenni demostró un singular interés por el papel, además de gran habilidad y sensibilidad, condiciones que quedan ampliamente reflejadas en la valiosa colaboración que prestó en la preparación del presente libro. Ella ha aprendido a superar todos los desafíos y ha contado con la ayuda de su familia, que inevitablemente pasó a formar parte de su profesión.

Del mismo modo, mi familia ha estado rodeada durante meses, por necesidad, de actividades relacionadas con el papel, topando en la cocina con cazos repletos de papel hirviendo, en lugar de estar llenos de comida para cenar. Mi hija Hannah Tofts creó muchas de las piezas que aparecen en el libro. Desde que era muy pequeña y ahora, como estudiante de postgrado en la maestría de Diseño Gráfico, ha respondido siempre con gran entusiasmo, espontaneidad e imaginación a todos los proyectos. Otro agradecimiento lo dedico a Simon Green quien, a pesar de tener una vida extremadamente ocupada, ha sido tan gentil de confirmar los datos históricos a los que me refiero en la introducción. Su impecable quehacer como fabricante de papel es respetado internacionalmente tanto por artesanos, como por pintores.

Por último, pero no por ello menos importante, mi gratitud al equipo de Mitchell Beazley, cuyas destacadas paciencia y preocupación por su trabajo quedaron plasmadas en este libro.

Faith Shannon

PANORAMA HISTÓRICO DEL PAPEL

No es posible concebir la existencia de un mundo civilizado sin la presencia del papel. Su utilidad como soporte de almacenaje y como vehículo de información superó con creces los pronósticos de sus inventores. Y, por supuesto, hay que considerar además el aspecto artístico del papel como medio de expresión, desde los cuadernos de apuntes y los diarios, hasta los dibujos, acuarelas y otras formas de las artes plásticas. Todo ello sin mencionar sus infinitos usos decorativos —desde pantallas para lámparas, hasta recipientes e, incluso, marcos y portarretratos— de los que trata este libro. Aún dentro de una sociedad cada vez más inmersa en la informática, el papel sigue teniendo una importancia crucial. Un vistazo a la extensa historia del papel puede dar una idea aproximada del lugar señero y perdurable que ocupa en el desarrollo de la cultura. Los datos que se relatan a continuación únicamente dibujan un bosquejo dentro del vasto panorama que constituye el marco general. Para obtener una visión más completa puede resultar fascinante consultar las obras clásicas como, por ejemplo, *Papermaking: The History and Technique of an Ancient Craft,* de Dard Hunter (1943), con la que todos los investigadores deben considerarse en deuda.

El papel y sus precursores

En la actualidad resulta demasiado fácil dar por hecho la presencia del papel. Para comunicarse por escrito ya no es necesario tallar laboriosamente las piedras o la madera, ni elaborar voluminosas tablas de barro o de madera encerada en donde grabar los mensajes por incisión, como tuvieron que hacerlo las civilizaciones del pasado. En el momento en que la técnica de manufactura del papel superó esos métodos, la comunicación dio un gran paso hacia adelante. El conocimiento empezó a dispersarse por el mundo, puesto que el papel no sólo hizo que la palabra escrita fuera más accesible, sino que proporcionó la base para un invento posterior: la imprenta. Por último, el encuadernador adaptó su antiguo arte a la imprenta, mientras aprendía otras formas de manejar el papel en tres dimensiones y así complementar la preocupación del impresor por las distintas calidades de superficies sobre las cuales trabajar.

Hasta el advenimiento de la revolución de la imprenta, instrumentos como un palo, un trozo de bambú, una pluma de ganso o un cepillo empapados en pigmento eran suficientes para escribir. Se usaban sobre superficies o «sustratos» que podían tomarse como papel, pero únicamente si se les veía muy superficialmente. Los precursores del papel, relacionados con éste exclusivamente porque provienen de sustancias naturales y ofrecen una superficie para escribir o dibujar sobre ellos, resultan ser muy interesantes. Analizándolos con mayor detenimiento, es posible apreciar mejor la naturaleza del papel. El pariente más conocido del papel es el papiro, elaborado a partir de una planta herbácea, un junco, *Cyperus papyrus,* de donde deriva la palabra «papel». Es común pensar que el papiro proviene del antiguo Egipto, pero en realidad esa planta se encuentra en muchos sitios; los griegos y los romanos de la Antigüedad también lo empleaban, aunque el proceso para producir hojas de papiro para la escritura era distinto, en principio, al que se aplica para producir papel. En Egipto, en donde escaseaba la madera, el papiro se utilizaba de diversas formas. Por ejemplo, servía como combustible, e incluso la raíz era aprovechable para fabricar todo tipo de utensilios. Sin embargo, la parte que más nos interesa aquí es el tallo, el cual es alargado, un tanto grueso, y compuesto por un número de capas diferentes. Esas capas se separaban cuidadosamente y se aplanaban con el agua lodosa del Nilo, la cual hacía las veces de agente aglutinante y las mantenía unidas. Cada capa de la hoja de «papel» estaba compuesta por tiras de papiro dispuestas en ángulo recto, una encima de otra. Se iban superponiendo capas hasta conseguir el espesor deseado. Posteriormente se prensaban y se dejaban secar al sol. Tras pulimentarlas con una pasta de harina, las esteras de papiro eran sacudidas y ablandadas. En otras partes del mundo, especialmente en las islas del Pacífico y en las zonas de América Central que poblaron los mayas, se usaba la corteza de algunos árboles para escribir sobre ella (en las islas del Pacífico se transformaba la corteza en prendas de vestir). Las técnicas de esos procesos eran diferentes aunque, a grandes rasgos, el principio era similar. Las fibras internas de la corteza se golpeaban hasta quedar tan finas como una hoja de papel, siendo ésta una actividad que desempeñaban las mujeres. El papel de los antiguos mayas sirvió para formar libros que datan de los siglos I y II de nuestra era. En México y en Colombia se continúa fabricando papel de forma artesanal de una manera similar. En la región del Pacífico se elaboran tanto una especie de papel bastante fino, como una variedad de tela o *tapa,* golpeando la corteza sobre troncos a los que se da una forma determinada. Antiguamente se cosían las piezas que resultaban del proceso y se decoraban bellamente con pigmentos naturales. Al igual que la mayor parte de los primeros «papeles», esos objetos se trataban con sumo cuidado y se destinaban a fines sagrados o muy reservados. El papel propiamente dicho reemplazó finalmente a aquellos primeros equivalentes derivados del papiro y de la corteza. No obstante, en Oriente todavía se fabrica una de esas sustancias históricas, el llamado «papel de arroz», que sirve para realizar dibujos con tintas de agua. En realidad, no se elabora con la planta del arroz, sino con la médula de un árbol, *Fatsia papyrifera,* la cual es pelada finamente en espiral, de fuera hacia dentro, para sacar un corte de papel delgado. Después se humedece y se tiende en un sitio plano donde se deja secar para después cortarlo a distintas medidas. Cuando está húmedo es lo suficientemente resistente como para moldearlo en forma de flores. Otra de sus características, una ligera capacidad absorbente, permite un sutil entintado con pinturas de agua.

En algunos lugares del mundo se han aprovechado las pieles de los animales por encima de las fibras vegetales para escribir sobre ellas. Se las estira en bastidores, se elimina el pelo y el sebo, se las restriega y se secan. El más conocido de esos productos animales es el pergamino, el cual requiere además ser tratado con cal. La preparación manual del pergamino es un trabajo que implica una enorme destreza. Aún se lleva a cabo en nuestros días, aunque a pequeña escala. En el pasado, la superficie deliciosamente suave del pergamino fue utilizada para realizar exquisitos manuscritos hermosamente iluminados. Los escribientes y los iluminadores actuales conceden todavía mucho valor al pergamino para efectuar trabajos de calidad, a pesar de su costo y de la rápida absorción de la humedad, lo que provoca que se hinche, se encoja y se arrugue. Semejante al pergamino es la vitela, sólo que ésta es más gruesa y se usa preferentemente para encuadernar y no para escribir. Para el pergamino generalmente se utiliza la piel de oveja, mientras que para la vitela es preferible la piel de ternera o de cabra.

Todos estos parientes del papel son derivados de materiales naturales que han sido alisados, golpeados o restregados. En cambio, el papel se crea de una forma diferente. Las fibras naturales se separan de su patrón original de crecimiento empapándolas, sacudiéndolas o macerándolas. Después se las suspende en agua para fabricar una pulpa fibrosa y, mediante un utensilio del tipo de un cedazo o tamiz, se acomodan en una superficie plana en donde drena el agua para dejar finalmente una lámina enmarañada de fibras. Eso se deja secar. Después de un aplanado posterior, el papel queda listo para ser usado. En esencia, en eso consiste el arte de hacer papel.

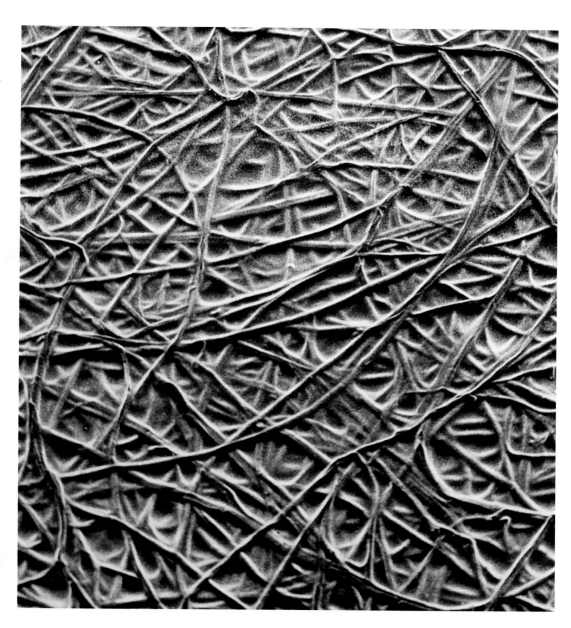

Una hoja de papel ampliada muestra las fibras de madera con la que se fabrica la mayor parte del papel industrial.

La base del papel hecho a mano generalmente consta de materias vegetales y de trapos e hilos de lino y algodón.

Orígenes

El papel llegó al mundo occidental por la ruta comercial que venía de China, en donde se dice que fue inventado en el siglo II d. C., aunque es posible que su origen se remonte a tiempos mucho más antiguos. Antes del papel, los chinos dibujaban o pintaban sus caracteres en telas y pudo ser que los trozos fibrosos de tela hayan sido los que pusieron en marcha la invención del papel. Los chinos también obtenían cortezas de árboles, así como otros materiales vegetales, y descubrieron que después de macerarlos se podían transformar en láminas delgadas y flexibles pero resistentes, que ofrecían una superficie plana y regular. Con el tiempo se descubrió que se podían transferir imágenes a esos papeles mediante el uso de bloques de madera tallada, cerámica o metal, adaptados para recibir y contener tinta. Así fue como nació la imprenta.

Los primeros papeles delicados se manejaban con inmenso respeto y se empleaban para registrar en ellos los textos sagrados. Los de menor calidad se destinaban a papel moneda, a envolturas y a la fabricación de prendas de vestir.

La noticia de ese descubrimiento se esparció desde China a Occidente por las rutas comerciales y llegó a otros países como Corea, Japón, Nepal, y de allí a la India, en el siglo IX. Pero un siglo antes, el mundo árabe ya había tenido noticias de la técnica para fabricar el papel, lo cual fue debido a la influencia mora, a través del norte de Africa, que llegó tardíamente a Europa. En el siglo XII ya se producía papel en España y de aquí pasó a Francia e Italia; después a Alemania y Suiza; más tarde a Portugal y Holanda, hasta que a fines del siglo XV apareció la primera manufactura de papel en Inglaterra. La era de los libros impresos en papel se inauguró en Alemania, con la famosa Biblia de Gutenberg, a mediados del siglo XV. En Estados Unidos no fue sino hasta que los inmigrantes europeos empezaron a establecerse cuando se inició el desarrollo de la fabricación de papel tal y como la conocemos ahora. Pennsylvania se convirtió en el primer centro productor a fines del siglo XVII; poco después las demás colonias se disputaban la supremacía. A medida que este saber se dio a conocer en diversos lugares del mundo, los papeleros se dedicaron a refinar gradualmente sus técnicas aplicando modificaciones constantes al equipo, en especial a la principal herramienta, el «molde», para el que se creó la estera de fibras. Las herramientas orientales se adaptaron de diversas formas. Cada siglo contó con sus propios innovadores, una lista demasiado larga para ser citada aquí. Un desarrollo interesante, en Italia, a finales del siglo XIII, fue la invención de las marcas de agua, es decir, dibujos translúcidos que se aprecian en algunos papeles al mirarlos a contraluz. Las marcas de agua indicaban quién era el fabricante y la fecha de fabricación, o el tipo de malla empleada en el molde durante la formación del papel. Más tarde se aplicó para evitar las falsificaciones.

Los sistemas mecanizados para la producción de papel imitaban las características del papel hecho a mano. Sin embargo, las máquinas ocasionaron un marcado sacrificio de la calidad. Para comprender las diferencias fundamentales entre los papeles hechos a mano y los hechos a máquina conviene empezar por analizar algunos de los principios que descubrieron los chinos hace muchos siglos.

Para que florezca la manufactura de papel, ésta debe tener sus bases en un adecuado y abundante suministro de materiales fibrosos y de agua corriente limpia. También se requiere disponer de una provisión de cola o apresto de gelatina o almidón para reducir la absorbencia del papel. Las fibras provienen, en su mayor parte, de las plantas; entre los materiales más adecuados están la corteza fibrosa interna de distintos árboles (como algunas especies de morera), tallos de plantas como el lino, el cáñamo y el yute, y hierbas como el centeno y otras que producen paja.

Asimismo se pueden emplear fibras como el esparto y también las fibras de semillas pilosas, de las cuales las más útiles son las de la planta del algodón. No hay que olvidar la madera, que es la base de la producción industrial de papel. Evidentemente, se aprovechan además otros materiales de naturaleza fibrosa. Los chinos y los japoneses han venido utilizando la seda durante siglos, la cual proporciona una superficie fina y lustrosa y, por el otro extremo, actualmente se hacen algunos papeles de fibras de poliéster, que resultan resistentes y a prueba de rasgaduras. Existen igualmente «papeles» plásticos, producidos químicamente, que son impermeables y excepcionalmente suaves para la impresión de alta definición.

Los papeles más resistentes suelen ser los que contienen fibras largas. Tanto la calidad como el largo de las fibras determinan el resultado final. Los primeros papeles de seda chinos y los delicados papeles de seda que se hacen ahora en Japón son flexibles y ligeros, pero sorprendentemente fuertes. En gran medida, los primeros y más resistentes papeles son los que están hechos con lino, trapos de algodón (reciclado del algodón textil) y borra de algodón (las fibras cortas que no se aprovechan en el hilado). Todas estas materias son también la base de la mayor parte de los papeles fabricados a mano en la actualidad.

Oriente y Occidente

La principal diferencia entre los procedimientos para elaborar el papel a mano en el Este y el Oeste es el tipo de molde, es decir, el bastidor sobre el cual se estira una malla. La estructura del molde afecta la manera en que se configura y se seca el pliego de papel, además de determinar el tamaño de la hoja. El cedazo o molde más antiguo fue probablemente un bastidor simple de cuatro barras de bambú con una fina red de hierba tejida (ramie), sujeto por los cuatro lados. La pulpa fibrosa, hecha de la planta macerada, se vertía sobre la malla para hacer una capa de fibras distribuida regularmente que se secaba al sol y que después se separaba de la malla.

El molde típico de China, Japón, Corea e India —y que todavía se encuentra en algunos sitios— es un bastidor de madera o bambú, cruzado por una serie de barras delgadas que refuerzan los dos lados largos y dan soporte a una cubierta flexible. Esta cubierta se parece a una persiana de ratán y se confecciona generalmente poniendo varas delgadas de bambú, con el lado redondo hacia arriba, y uniéndolas con pelos de caballo, seda, lino u otros materiales que sirvan para anudar. A este tipo de molde se le conoce como «vergueteado», a diferencia del que se conoce como molde «tejido».

El molde vergueteado se sumerge en una tina o recipiente en donde esté la pulpa, después se extrae con una fina capa de fibras que quedan sostenidas sobre las tablillas o listones flexibles.

Los sencillos marcos rectangulares que constituyen el molde son los instrumentos más importantes del artesano de papel hecho a mano. El pliego se configura encima del molde, sobre el que hay una malla extendida, mientras que el bastidor, o forma, sirve para modelarlo.

El exceso de agua escurre por la parte inferior del molde. La capa de fibras puede quitarse dando vuelta suavemente a la estera, con el lado del papel hacia abajo, sobre una superficie secante. Entonces la estera queda libre de fibras y lista para volverse a usar. Las hojas de papel que se hacen de esta forma se apilan fácilmente una sobre otra. Después de prensarlas, las hojas se separan para dejarse secar.

El tipo de molde oriental sirve más fácilmente para producir pliegos muy largos que después se cortan a voluntad. El papel que se utiliza en las puertas y ventanas de las casas japonesas se hace de esta manera, en medidas estandarizadas de largo y ancho. A pesar de la naturaleza increíblemente fina y uniforme del papel, el método de manipulación permite que se puedan elaborar esos largos pliegos sin ningún daño.

El otro tipo de molde es el rígido, el que se usa típicamente en Occidente. Está compuesto por un marco de madera, reforzado con piezas esquineras de metal no ferroso (y por consiguiente inoxidables) que se cubren con alambres no ferrosos estirados a lo largo del marco. Estos alambres se «cosen» con otros alambres más finos y se apoyan por la parte de abajo sobre listones finos de madera, integrados al marco. Un segundo marco sin alambres es un bastidor, llamado «forma», que sirve para contener la pulpa cuando se saca de la tina y para impedir que se escurra por los bordes. También determina el tamaño del pliego.

El molde «tejido» se empezó a utilizar en Europa en el siglo XVIII. Con él se puede producir papel de aspecto más uniforme y de textura ajustada, al contrario de los papeles «vergueteados», que cuando se ven a contraluz muestran unas líneas translúcidas producidas por los depósitos de pulpa en las tablillas.

Los moldes rígidos requieren un método especial para depositar el pliego mojado de papel sobre una superficie secante, la cual generalmente es un paño grueso al que se llama «fieltro». Se requiere una gran habilidad para transferir el pliego, con un solo movimiento, sobre la base secante y dejarlo intacto. A este proceso se le llama «recostado». Los pliegos se apilan en capas, intercalando un fieltro por cada pliego, hasta llegar a una altura que sea fácilmente manipulable, y se pasan a la prensa para extraer el agua. Después de separarlos y, en ocasiones,

después de apilar y prensar dos veces, los pliegos quedan secos entre los secantes. Los pasos finales comprenden el prensado en caliente contra placas brillantes, lo cual confiere una superficie lisa, o se puede dejar que el papel quede áspero (prensado con felpa) o prensado en frío, para hacerlo semiliso. Si hace falta que el papel sea menos absorbente —como debe de ser el papel para escribir— se pasa a través de unos tubos encolantes que contienen una goma delgada, o «cola», hecha ya sea de pezuñas y cuernos de animales, o de alguna sustancia sintética.

La experiencia de observar a un equipo de diestros manufactureros de papel en acción, cada uno con una tarea específica, constituye una irresistible fascinación. Cualquier persona que se dedique durante algún tiempo a producir su propio papel no tarda mucho en obtener un nivel aceptable de éxito. Sin embargo, hacen falta años de práctica para igualar a los fabricantes de papel verdaderamente profesionales que dominan la técnica a los niveles más refinados.

El molde, en sus diversas formas, es algo común entre los fabricantes de papel de todo el mundo. No obstante, los métodos de golpear las fibras vegetales, después de remojarlas y hervirlas para aflojar las partículas indeseadas y extraer la celulosa, varían notablemente. Estos métodos abarcan desde golpear con mazos y molerlas con piedras, hasta machacarlas con golpeadores semimecánicos. Pero no importa lo primitivo o complejo que sea el medio, el fin es el mismo: que las fibras se ablanden y se maceren para que formen una capa fina de material. Hace falta cierta pericia para seleccionar las fibras adecuadas, macerarlas hasta el punto exacto, colocar la cantidad correcta de pulpa encima del molde y manipularla apropiadamente.

A causa de las diferencias regionales en los materiales y en las técnicas de producción, los papeles hechos a mano muestran una gran variedad de características. El contraste más evidente puede encontrarse entre los papeles japoneses, suaves y de aspecto claramente fibroso, y los papeles occidentales, que son más duros al tacto y de textura más cerrada. Los papeles japoneses deben de ser más absorbentes para emplearse en un método particular de impresión; admiten especialmente bien los grabados en madera. Los papeles occidentales varían más en cuanto a los acabados de la

superficie, ofrecen una gran diversidad de texturas, pero adolecen de la riqueza de los acabados decorativos que se ven en los papeles de diseño oriental, incluso los que se suelen destinar a la escritura se les trata en mayor grado con apresto para evitar que se dispersen las tintas, lo que no resulta indispensable en los países en donde se escribe empleando pinceles. Los papeles que se dedican a la impresión manual de libros finos son más absorbentes que los que se utilizan para la escritura tradicional.

La época de los experimentos

La divulgación del conocimiento mediante la imprenta y el rápido desarrollo de la tecnología de la impresión condujeron a una creciente necesidad de papel. En un principio, los trapos de algodón y lino abastecieron la demanda, pero al poco tiempo se descubrieron otras fibras. En ocasiones hubo algunos intentos un tanto extraños de obtener algodón y lino que se pudieran reciclar. En Estados Unidos, a mediados del siglo XIX, a un científico de Nueva York se le ocurrió reciclar las vendas de las mortajas de las momias egipcias. Algunos otros, siguiendo la misma línea de pensamiento, llegaron a producir papel de envolver con las vendas de lino de las momias y con los manuscritos sobre papiro que aparecían con ellas.

Pasaron varios siglos en los que gente muy dedicada se encargó de realizar experimentos disparatados, hasta que se convencieron de que se podían aprovechar las fibras de muchas otras plantas para la elaboración del papel. En la Europa del siglo XVIII, un cierto Dr. Schäffer produjo libros utilizando papel hecho de paja, tallos de col, amianto e, incluso, nidos de avispa. Se cree que la avispa sugirió una nueva ruta para la exploración, que concluyó con el uso de la celulosa de la madera, después de las atentas observaciones del naturalista francés del siglo XVIII René-Antoine Ferchault de Réaumur, quien descubrió que la avispa lima la madera de forma menuda y la une con una secreción pegajosa. Cuando ese material se seca se convierte, en esencia, en un papel fino. Réaumur sugirió que podía triturarse la madera de forma tan fina que la celulosa resultante sirviera para producir papel. En el siglo XIX, Matthias Koops realizó en Londres otros importantes descubrimientos

Estas imágenes muestran distintos aspectos de la manufactura del papel según la tradición occidental.

Arriba izquierda: *La pulpa y el agua (o «pasta») se remojan en una gran batidora llamada Hollander. El rodillo automático situado a un extremo acelera el proceso de desfibrar la pulpa. Después se transfiere a una tina en la que se sumerge el molde (ver página 34) para formar el pliego.*

Arriba derecha: *Cuando el papel está suficientemente seco se le recuesta o se le da vuelta encima de un fieltro que absorbe el exceso de agua. El recostador de la izquierda* prepara un fieltro para el papel que está sobre el molde, al fondo, el cual ha sido inclinado antes de ser recostado. El obrero de la derecha espera con otro molde. Con este método se pueden producir hasta diez pliegos de papel por minuto.

Extremo izquierda: *El pliego de papel se transfiere del molde al fieltro. Encima del pliego se coloca otro fieltro y así sucesivamente se hacen capas de fieltro-papel-fieltro.*

Izquierda: *Cuando la pila de pliegos ha alcanzado una altura que permita aún una fácil manipulación se extrae el agua restante pasándola por una prensa hidráulica.*

relacionados con las fibras que se obtenían de la paja resultante de las cosechas de cereales, una investigación que se considera un hito en este campo.

Junto con la necesidad de nuevos materiales existía, a su vez, la preocupación por mejorar la productividad. La primera máquina para fabricar papel fue un invento europeo de fines del siglo XVIII. Nicholas Louis Robert invirtió muchos años al lado del impresor St. Léger Didot desarrollando distintas ideas con resultados desiguales. Finalmente se descubrió que el sueño de Robert era factible. Era posible construir una máquina capaz de producir un rollo de papel sin uniones sobre una malla de banda continua, a una velocidad mayor que la que se invertía en la producción manual de pliegos individuales. El invento de Robert fue adoptado más tarde por unos papeleros de Londres, los hermanos Fourdrinier. A pesar de que algunas de las máquinas que se construyeron más tarde llevaban el nombre de Fourdrinier, los hermanos no obtuvieron ninguna ganancia material por su importante y perdurable contribución a la producción de papel.

La máquina de fabricar papel pronto se convirtió en la base de una industria en alza. El sistema, que constaba de una larga banda continua, se amplió a una banda con un cilindro de malla rotatorio, unido a un sistema de drenaje interno que formaba el papel a medida que la pulpa entraba en contacto con él. Las capas de pulpa se separaban y se pasaban a un cilindro cubierto de felpa en donde tenía lugar una forma mecanizada de recostado. La máquina cilíndrica se inició y se perfeccionó en Londres, en 1806, dentro del molino de John Dickinson, situado en Hertford. En Estados Unidos, Thomas Gilpin la instaló secretamente en 1817, después de haber adaptado la idea inglesa para adecuarla a su molino de Delaware.

Aquella maquinaria abrió nuevas posibilidades de uso para el papel: desde periódicos y libros producidos en serie hasta cuellos y puños de

papel, cajas, e incluso ataúdes y tubos de desagüe.

Mientras tanto, continuaba la búsqueda de materias primas. Muchas de las fibras de las «nuevas» fuentes naturales eran útiles, después de un esmerado proceso de lavado y blanqueado, para producir el papel adecuado para imprimir. Los métodos científicos de control de calidad se fueron haciendo cada vez más importantes. La imprenta y el papel emprendían una evolución en paralelo.

Actualmente, la madera es la fuente idónea para obtener celulosa. Maderas suaves como la de la picea proporcionan fibras más largas y suaves. El algodón y el lino todavía se consideran las mejores materias primas para elaborar los papeles de más calidad y se acostumbra combinar un porcentaje de esas fibras con otras más débiles para aumentar su resistencia. La paja, que se utilizaba aún antes de la implantación de la celulosa de madera, todavía desempeña un papel destacado, debido a la demanda tan competitiva que tiene la madera para la extracción de celulosa destinada a la manufactura de fibras sintéticas, celofán, lacas y barnices.

Calidad y cantidad

No existe la menor duda de que el papel fabricado por medios mecánicos es indispensable. Si fuera posible usar las fibras de mayor calidad sería tan resistente como cualquier buen papel hecho a mano. Lo que más se aproxima en la industria del papel a ese nivel de calidad es la imitación mecánica del papel hecho a mano, a la que se denomina «papel de molde», la cual contiene buenas fibras, pero tiende a presentar «grano dirigido», o sea, las fibras colocadas en una misma orientación, debido a la alineación direccional de las fibras durante la formación del papel sobre la banda, o en el cilindro en movimiento. A pesar de que la máquina simula el movimiento manual (como en el momento en que el molde se mueve hábilmente para distribuir una capa uniforme de pulpa), la velocidad y el arrastre direccional de la máquina acomodan las fibras a lo largo del rollo de papel. Aunque esté enmarañado, el papel tendrá una mayor resistencia en una sola dirección, presentando menos resistencia cuando se dobla a lo largo, que cuando se hace a través del grano.

Esta atractiva escultura de papel y bambú en forma de abanico, con una combinación de distintos colores y texturas, *demuestra que no existe límite alguno en cuanto a los usos decorativos y funcionales a el papel puede ser destinado.*

El efecto de la absorción del agua representa otra diferencia entre los papeles hechos a mano y los mecánicos. Las fibras celulósicas del papel están huecas y, cuando se mojan, absorben agua por acción de la capilaridad. Si las fibras se encuentran distribuidas en una dirección en particular, como sucede en el papel mecánico, la expansión que ocurre cuando se humedece el papel será irregular, es decir, que se hinchará más hacia lo ancho que hacia lo largo. Existe además el riesgo de que cuando seque el papel, éste se deforme, lo que debe de controlarse con mucho cuidado cuando se va a utilizar para imprimir. Con el papel hecho a mano, la distribución de las fibras es uniforme y, por consiguiente, menos problemática. También allí hay que observar la cuestión de resistencia y flexibilidad: los papeles hechos a mano generalmente se manejan mucho mejor que los producidos en serie y son, en consecuencia, los más adecuados cuando se trata de fabricar libros de calidad y objetos hechos de papel.

El volumen actual de consumo de madera para producir papeles de todo tipo representa un problema de abastecimiento. Unido a ello está el complejo tema de la amenaza que plantean al medio ambiente las grandes plantaciones de árboles de madera suave para el aprovechamiento de la celulosa. La investigación de otros recursos renovables para producir papel destinado a imprimir y a embalaje se ha tomado como una actividad que reviste una cierta urgencia. Cada vez es más frecuente que se recicle el papel, pero todavía se desperdician ingentes cantidades.

Otro motivo de preocupación es la longevidad de los papeles mecánicos. Los papeles de menor calidad, tratados con agentes químicos que a la larga van en detrimento de las fibras, no son los más apropiados para la conservación de nuestra cultura. Los niveles actuales de la producción del papel son lamentables en contraste con los de hace varios siglos, por ejemplo, la Biblia de Gutenberg es un monumento a la destreza artesanal de otros tiempos y ha perdurado desde el siglo xv. Esa gran disparidad en la calidad del papel se hizo sobradamente manifiesta durante las terribles inundaciones de Florencia en 1966. Los libros e incunables impresos en magníficos papeles de hace muchos siglos resistieron los azotes de las aguas estancadas en un grado notable y sólo constituyeron un problema para los restauradores cuando no se oreaban ni se secaban con cuidado inmediatamente después de que fueran hallados completamente empapados. (En condiciones húmedas, sin aire, el moho crece muy rápidamente sobre el papel y causa la desintegración de las fibras.) Los miles de libros fabricados con papeles mecánicos y con cartones de capas lustrosas que se usan en la actualidad quedaron destruidos o presentaron enormes problemas a los restauradores.

Es frecuente que haga falta un desastre de esa magnitud para alertar a la gente de los problemas y sirva de catalizador para emprender la acción. Gracias a los esfuerzos de los restauradores internacionales que colaboraron en la conservación de los magníficos libros históricos de la Biblioteca Nazionale di Firenze y otras colecciones, se ha ampliado nuestro conocimiento sobre el papel y sobre los elementos que lo constituyen, además de haberse despertado nuestro interés por los papeles de alta calidad. En estos momentos, todavía estamos cosechando las ganancias del surgimiento de aquella señal de alerta. Los pintores de todo el mundo aprenden las técnicas para elaborar el papel a mano y se deleitan en su adaptabilidad como un medio de expresión. Mientras tanto, la antigua dedicación, junto con las ideas y los conocimientos modernos relacionados con la impresión de calidad, avanzan firmemente. El papel será siempre apreciado por una considerable minoría de personas que valoran sus bellas cualidades visuales y táctiles y se interesan en continuar una larga tradición de calidad.

Vista en acercamiento de una pila de papeles hechos a mano terminados. El papel bien formado debe mostrar una textura suave con un aspecto uniforme. Su resistencia dependerá de las fibras empleadas para elaborarlo.

Comprender el papel

Para obtener el máximo de satisfacción cuando se trabaja con papel, es necesario familiarizarse con la gran variedad de papeles disponibles y adquirir un gusto para reconocer las diferentes calidades y usos. Pero no hay que caer en la trampa de creer que todos los papeles mecánicos son absolutamente inadecuados para realizar trabajos de calidad. Los buenos papeles mecánicos contienen alguna cantidad de algodón. En ciertos casos, la base de la pulpa está constituida por papel de desperdicio reciclado de alta calidad.

En el momento de elegir un papel para un trabajo determinado existen diversos factores que deben considerarse; entre ellos, la dirección del grano, la rigidez, la translucidez, la textura, el tamaño del pliego que proporcione el espacio más adecuado para trabajar con él y la cantidad de pliegos que es preciso comprar. Respecto a esto último, conviene recordar que adquirir un papel muy barato puede significar hacer una falsa economía, ya que es muy posible que esté fabricado con celulosa de madera de fibras muy cortas o con pulpas recicladas de baja calidad. En este caso, los vendedores de papeles y de materiales para artistas están capacitados para dar una mayor orientación. De cualquier modo, es posible aprender en poco tiempo a reconocer los papeles que hay que elegir y los que hay que rechazar.

Los papeles hechos a mano se presentan en pliegos de distintas dimensiones, de acuerdo a criterios históricos. Existen algunos nombres pintorescos, así como tamaños singulares, que por fortuna no habrán de desaparecer por obra y gracia de la uniformidad.

Las cuatro orillas del papel son barbadas. El color varía según la pulpa; en ocasiones aparece una coloración añadida, pero generalmente los papeles son de colores pálidos como blanco, crema, avena, etc., con frecuencia con un matiz azul o verde. El grosor varía desde el del papel de seda, hasta casi la dureza propia del cartón. La enorme gama de texturas y acabados de la superficie contribuye a hacer de cada pliego de papel una agradable experiencia en sí misma. La diferencia entre el papel «vergueteado» y el «tejido», debida al tipo de molde o de malla empleados, se ha explicado anteriormente (páginas 10 a 12). En esencia, el papel «vergueteado» es el que cuando se ve al trasluz muestra un dibujo de líneas en donde el papel es más delgado y, por tanto, más translúcido. Las líneas están formadas por finos hilos de cobre (o hebras de trozos de bambú). El papel «tejido» tiene un aspecto más uniforme y podría por ello resultar más apropiado para ciertos trabajos, especialmente aquellos que pongan de manifiesto la translucidez del papel.

Si los papeles hechos a mano resultan demasiado costosos para un trabajo determinado, existe otro tipo de papel —llamado «de molde»—, que combina la calidad de los hechos a mano, con el precio más moderado que sólo pueden ofrecer los papeles fabricados a gran escala. De todas formas, el papel «de molde» tiene los granos en dirección uniforme. Se le reconoce por sus dos lados paralelos con orillas desiguales o barbadas que imitan el pliego hecho a mano. Los otros dos lados están cortados y presentan una mayor longitud que la que es posible obtener cuando se fabrica el papel a mano. A pesar de ser menos costoso que el papel hecho a mano, el papel de molde contiene fibras largas y es resistente.

Sea cual sea el tipo de papel que se elija, es preciso manejarlo con delicadeza. Hay que tratar de desarrollar una sutileza en los dedos que permita que el papel se vea siempre fresco aunque se le manipule constantemente. Un trabajo bien planeado y bien ejecutado puede estropearse irremediablemente por la marca de unas huellas sucias, una superficie magullada o unas esquinas dobladas. Es preferible tomar un pliego grande por las esquinas opuestas diagonalmente, para permitir que se combe por la mitad. La dirección del grano de un pliego de papel mecánico es más que un aspecto de simple interés académico, ya que determina el comportamiento del papel cuando se le doble, se le rasgue o se le pegue. Para determinar la dirección del grano de un pliego, se coloca sobre una superficie limpia y plana y se enrolla libremente una de las mitades, con cuidado para no arrugarlo. Con la palma de la mano, o con ambas manos, como si se fuera a enrollar el papel formando un tubo, se oprime para hacerlo rebotar muy suavemente. Hay que procurar recordar la sensación en cuanto a resistencia a la presión. Después se deja que el papel vuelva a su posición inicial, es decir, que quede plano.

Entonces se le da un giro de 90º y se repite el procedimiento. Al doblar en las dos direcciones se descubrirá en cuál se presenta una mayor resistencia o elasticidad, lo que indica que se ha doblado a lo ancho y no en dirección del grano. Para apreciar esa condición es útil visualizar un pliego de cartón corrugado, el cual, obviamente, ofrecería menor resistencia si se le hiciera un doblez que fuera paralelo al acanalado.

También se puede distinguir la dirección del grano doblando el papel bruscamente, pero no demasiado, con las puntas de los dedos. Es preciso concentrarse en la sensación del doblez, así como en el aspecto de la orilla doblada. El doblez con el grano producirá una arruga flexible con bordes suaves que funciona bien y se ve y se siente bien.

También es posible identificar la dirección del grano rasgando el papel rápidamente en una zona de prueba en dos direcciones: a lo largo y a lo ancho. De este modo se apreciará que una de las orillas rasgadas es más suave que la otra, lo que significa que ésa es la orilla que va a lo largo del grano, aun cuando bajo la lupa la naturaleza y la disposición de las fibras sean semejantes. Hay ciertos tipos de papel en los cuales es más difícil definir la dirección del grano, por lo que habrá que recurrir a humedecerlos. Se puede emplear agua, pero habrá que observar con cuidado, en vista de que el papel recupera rápidamente su estado original. Quizá sea preferible usar engrudo, puesto que las fibras lo absorben más lentamente, y así dar más tiempo a observar los resultados. Para ello, se rasga o se corta un cuadrado de una esquina del pliego y se hace una pequeña marca en uno de los lados y otra en el lado correspondiente del pliego, de donde salió el cuadrado. Se humedece o se aplica el engrudo sobre uno de los lados del cuadrado de prueba y se observa cómo se enrolla. Se verá que el rulo se hace *con* el grano. La aplicación de estas técnicas en distintos papeles es un ejercicio muy útil, ya que de este modo se empiezan a comprender algunas de las sutilezas del papel, las características inherentes que acompañan otras cualidades más evidentes como el color, la textura y el grosor. Sólo entonces se podrá apreciar plenamente el potencial de creatividad que ofrece este medio perenne.

LA TRADICIÓN CONTINÚA

La tecnología de la que se disfruta en la actualidad no ha logrado opacar el arraigo de la actividad artesanal. No debe dejarse que caigan en desuso la habilidad, los materiales y las ideas creativas del pasado, en tanto que los conceptos de apreciación, paciencia y calidad que encarnan son eternos y sirven de antídoto a las innovaciones recientes basadas en el costo-efectividad. Ha sido de esta forma como han perdurado las tradiciones del trabajo con papel. Algunos pequeños molinos dispersos aquí y allá continúan con la tradición de elaborar el papel a mano de acuerdo con los antecedentes históricos. Sin embargo, no es sólo en la manufactura del papel en lo que se mantiene lo mejor del pasado, sino también en su decoración. Eso es especialmente cierto en lo que se refiere al papel jaspeado, la antigua técnica de decorar el papel que se describe más ampliamente en el capítulo correspondiente de este libro. Casas como Il Papiro, la famosa compañía de papeleros italianos, se enorgullecen de aplicar los métodos antiguos para reproducir los dibujos auténticos del pasado. La clave del éxito de estas empresas es la dedicada especialización que llevan a cabo.

Pero también se hace necesario un velo de misterio, como ocurría en la época renacentista, cuando las rivalidades entre los círculos de artesanos fomentaban el espionaje de unos a otros. Aunque la esencia del decorado de papel jaspeado es universal —colocar el papel encima de un patrón de colores que flotan en una tina de apresto o engrudo— existen muchas variantes y refinamientos. Por todo ello, los ingredientes secretos desempeñan un papel específico en el proceso que realiza Il Papiro y esos conocimientos, tan celosamente guardados, pasan de maestros a aprendices, del mismo modo que en la época de oro del decorado del papel jaspeado.
En su combinación de las técnicas tradicionales y del marketing moderno, Il Papiro ha demostrado que los logros más apreciados del pasado son lo suficientemente sólidos como para ser valorados incluso en un medio tan altamente comercializado como es el de la actualidad.

Abajo izquierda: Francesco Giannini (izquierda) y Gianni Parenti (derecha) inauguraron el primer taller de Il Papiro en 1975 en la Via San Niccolò de Florencia. Al año siguiente iniciaron otra operación más moderna de jaspeado en la Via Cavour. Desde entonces han ampliado su negocio con gran éxito y han adquirido reconocimiento internacional por su papelería, cajas y otros artículos forrados con su propio papel jaspeado y otros papeles decorativos. Abajo: En esta imagen de la tienda Il Papiro de Florencia, un espectro de vívido papel de envolturas moderno, dispuesto a lo largo de la desgastada cubierta de un escritorio antiguo de madera, traza un símbolo contundente de lo viejo y lo nuevo unidos al servicio de la excelencia.

El jaspeado depende de una base líquida inestable de color que dificulta la producción de dibujos repetidos regularmente. Esta secuencia muestra algunos de los pasos que se siguen en el taller de Il Papiro en Florencia. Sólo es posible alcanzar el éxito a través de la práctica continuada. El primer paso (arriba izquierda) es poner a flotar los colores formando un dibujo sobre una base de apresto gelatinoso. Eso sucede dentro de una cubeta especial a la que está unido un peine para realizar dibujos. La preparación de los colores exige bastante experiencia y en eso cada decorador emplea su propio método. La temperatura y la humedad han de ser rigurosamente controladas.

El peine de dientes separados se pasa a través de las manchas de color para dar forma al dibujo y crear el efecto de ondas. Se pueden hacer distintos diseños empleando peines de anchos variados. Un peine más fino, manejado a mano, se pasa por toda la superficie tocando todos los colores en ángulos rectos, respecto al primer peine (arriba centro). Se utiliza una varilla para modificar de nuevo el diseño que se hizo con el peine. Es en este momento cuando se forman las características «colas de pavo real» del estilo de Il Papiro. Después (arriba derecha), se coloca el papel que ha sido tratado con alumbre. Este paso requiere de un movimiento firme, continuo y decidido. El dibujo compuesto por

los colores que flotan en la cubeta se transfiere al papel que se extiende encima de ellos. En aquellos sitios en donde se hubieran formado burbujas de aire atrapadas entre las dos superficies podrían quedar espacios blancos sin dibujo. Para evitar ese efecto, hay que pinchar las burbujas con un alfiler. Cuando se termina el jaspeado y las burbujas se han eliminado, se desliza suavemente una varilla de metal por debajo de una de las orillas del papel y se lleva hacia la orilla contraria. Eso facilita la eliminación del poco de apresto que, de otro modo, tendería a adherirse a la superficie. Con la ayuda de la varilla, se levanta con cuidado el papel y se cuelga para dejarse secar.

HACER PAPEL

El arte de elaborar papel posee una larga e interesante historia, tanto en Oriente, como en Europa y América. En la actualidad, como es de suponer, la mayor parte de nuestras necesidades están satisfechas con las diversas clases de papel que se fabrican mediante procedimientos industriales. Pero de todas formas, para los pintores y los artesanos, los papeles hechos a mano siguen teniendo un valor incalculabre. Como se descubrirá en el momento de realizar cualquiera de los proyectos que se describen más adelante, la individualidad de los papeles manuales los llega a hacer especialmente idóneos para poner en práctica determinadas técnicas. Si se analiza con detenimiento un dibujo o una acuarela de alguno de los grandes maestros, se apreciará en qué medida ha aprovechado el pintor la riqueza de la textura del papel. Existen limitaciones en cuanto a los tipos y a los tamaños de papel que todo principiante debe afrontar, pero eso no significa que en poco tiempo no se experimente la satisfacción de elaborar el papel uno mismo. En lugar de ser meramente una superficie sobre la que se escribe y se dibuja, el papel pasará a ser algo que entusiasme gracias a sus propias cualidades, como la sutileza del color y la textura, las cuales pueden convertirse, incluso, en un medio de expresión por derecho propio.

Los procedimientos descritos en la siguiente sección son versiones simplificadas de los métodos tradicionales. Entre los materiales que se emplean, se cuenta con una enorme gama de plantas y de fibras, como la seda, e incluso la lana. Muchos de estos materiales requieren un tratamiento intensivo para producir papeles con una calidad aceptable, pero en muchos casos sólo es cuestión de paciencia y de adquirir experiencia, más que de contar con unos utensilios muy especializados. El artesano novato encontrará que los trapos de algodón y los papeles reciclados (es preciso procurar evitar los papeles de baja calidad con alto contenido de celulosa de madera) son los materiales más fáciles de usar, aunque siempre se pueden añadir elementos vegetales para conseguir un efecto más individualizado.

En principio, elaborar el papel a mano es fácil. Una vez reunidos los utensilios (descritos en las páginas a continuación), todo lo que hace falta es preparar una pulpa de material limpio que haya sido triturado en una batidora o licuadora para que se separen las fibras. Entonces se recogen las fibras del agua, dispuestas en una capa delgada, con la ayuda de un cedazo o tamiz dividido en dos partes: el «molde» y la «forma». Después de drenar el agua, la capa de fibras, que forman una maraña, se seca por medio de alguno de los distintos métodos posibles. Puede prensarse si se requiere que el papel presente una superficie lisa. Para reducir la absorción del papel, que si no está tratado parecería un papel secante y haría que la tinta o los colores sangraran, se le puede agregar una capa de almidón o de apresto gelatinoso, los cuales se pueden mezclar con la pulpa, o aplicarse de diversas maneras a la hoja ya terminada.

PREPARATIVOS

Material:
Un recipiente grande o palangana que tenga cuando menos 15 cm de profundidad. Para hacer pliegos de papel de tamaño grande conviene tener un tanque de fibra de vidrio para almacenar agua fría
Batidora o licuadora de vaso, con capacidad de al menos un litro
Cubos de plástico (al menos dos)
Esponja
Molde y forma (ilustrados en la siguiente columna). Éstos se pueden comprar o se los puede construir uno mismo, según se describe en la siguiente página
Tamiz o colador
Malla de cortina para revestir el tamiz, o un colador en caso de filtrar fibras demasiado finas
Escobilla para agitar la pulpa
Cazos de plástico o jarras de vidrio para almacenar la pulpa excedente
Rodillo de cocina

Para prensar durante el secado, hará falta alguno de los siguientes:
Dos tablas de madera y objetos pesados (por ejemplo unos ladrillos de construcción).
Prensa de encuadernación (ilustrada aquí abajo). También puede construirse una prensa siguiendo las instrucciones de la página siguiente.

Es importante no emplear utensilios que puedan oxidarse. Aun cuando no caigan fragmentos de orín a la pulpa, siempre existe el peligro de que, en el futuro, los contaminantes produzcan pequeñas manchas de color marrón sobre el papel. Los científicos estudiosos del papel no han dictaminado con certeza la causa exacta de esas manchas, pero se cree que son el resultado de la acción bacteriana dentro del apresto que une las fibras de celulosa.

El molde y la forma
Éstos son los únicos dos objetos que habrá que construir en casa o adquirir en una tienda especializada en papel hecho a mano. Las demás piezas del equipo básico se consiguen fácilmente. El molde y la forma son unos marcos rectangulares sencillos del mismo tamaño. El molde tiene una malla que lo recubre y la forma no tiene ninguna malla. Ambos constituyen un tamiz sencillo:

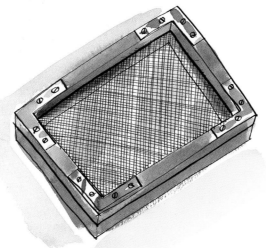

La hoja de papel queda dispuesta sobre el molde. Se puede hacer papel solamente usando el molde, sin la forma, pero de este modo el proceso resulta más difícil de controlar. En los primeros intentos es mejor usar la forma, la cual da una configuración a la hoja y evita que la pulpa se desborde del molde cuando se saca de la tina. La orilla irregular que distingue el papel hecho a mano (ilustrada en la pequeña fotografía) muestra las barbas típicas debidas al uso de la forma.

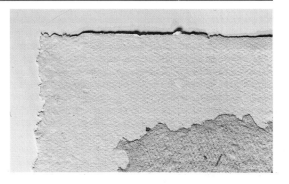

Antes de empezar a trabajar, hay que calcular las dimensiones del molde y de la forma, los cuales deben ser lo bastante pequeños como para caber dentro de la tina que se va a usar y dejar suficiente espacio para las manos, además de unos 12 a 15 cm hasta el borde. Un bastidor de aproximadamente 20 × 15 cm cabrá cómodamente dentro de la media de tinas rectangulares de tamaño grande. Es conveniente empezar con esos bastidores (no mayores que un papel de tamaño A4), puesto que son más fáciles de controlar y pueden ser bastante adaptables. Cuando esté seco, el tamaño del papel será ligeramente más pequeño que las medidas internas de la forma.
Si se desea hacer grandes pliegos de papel, la forma y el marco resultan difíciles de manejar si no se cuenta con un equipo especial que, con seguridad, no tiene cabida en una cocina pequeña o en un taller casero improvisado. Sin embargo, lo que sí es posible es unir pequeñas hojas de papel antes de que sequen. La técnica que explica cómo hacerlo se describe en la página 35. Se pueden improvisar los bastidores para el molde y la forma aprovechando marcos de cuadros que sean lo bastante sólidos. Es preciso quitarles todo resto de pintura o de barniz para que no haya peligro de que suelten escamas y estropeen las hojas. Hay que reforzar las uniones encoladas con clavos o tornillos inoxidables. Cuando se usen marcos viejos no importa si la forma es ligeramente más pequeña que el molde, pero nunca debe ser mayor.

La mejor madera para construir un molde propio es la de caoba, la cual no se deforma ni se pudre fácilmente. La madera de teca también es muy buena aunque, en general, cualquier madera es buena mientras no tenga nudos ni esté torcida. Para un bastidor pequeño se puede usar madera de 1 × 1 cm con las esquinas clavadas. Una madera de 2 × 3 cm será lo suficientemente resistente como para hacer bastidores más grandes y que pueda manejarlos cómodamente una persona. Será preciso reforzar las uniones con esquineros o con planchas en forma de «L».

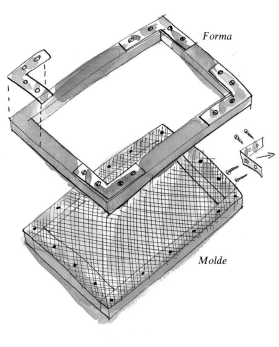

Forma

Molde

Las mejores planchas son las de latón, aunque el aluminio también sirve muy bien, además de ser más barato y fácil de conseguir (las tiendas de accesorios de coches las venden para reparar partes mecánicas). Hace falta también tela de malla que tenga de 5 a 10 agujeros por cm^2, del tipo de tela para visillos; una tela similar de tejido abierto o malla de plástico también sirven si tienen de 10 a 15 agujeros por cm^2. Cada una de estas mallas creará una superficie característica en el papel. Aquí hay suficientes posibilidades para experimentar, aunque se

recomienda a los principiantes empezar con una pantalla más o menos áspera, que dará como resultado un papel de fibras igualmente ásperas. Las pantallas más finas producirán una superficie más delicada, pero será más difícil conseguir un aspecto uniforme.

En el caso de los bastidores grandes será preciso reforzar la parte de abajo con tiras delgadas de madera para evitar que se combe la malla, como se muestra aquí abajo:

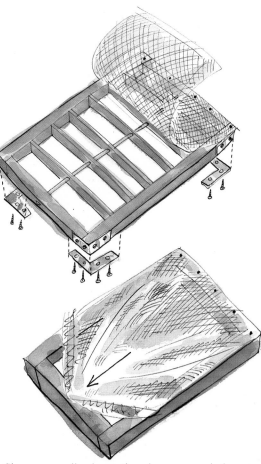

Si se usa malla de cortina, hay que mojarla antes de estirarla encima del molde, pues de otro modo dará de sí y se combará cuando cargue la pulpa mojada. Cuando se coloque la malla, hay que tenerla

lo más tensa posible. Primero se asegura uno de los lados cortos del bastidor y después se clava por los lados largos con clavos de latón o con grapas de cobre, antes de grapar el último lado.

Fabricar una prensa de papel
Para producir una hoja de papel plana, es necesario mantenerla firmemente prensada mientras se seca. Se puede improvisar una prensa empleando dos láminas de formica o dos tablillas de madera con hojas de plástico para impedir que se mojen. Encima de la prensa será necesario colocar cosas pesadas, para lo que se puede echar mano de cualquier objeto casero. Otra alternativa es fabricar una prensa propia. Aquí abajo se muestran dos tipos diferentes de prensa. En la primera, se han empleado cuatro abrazaderas en forma de G con tablas de madera simple o de madera contrachapada. Dentro de la prensa se han alternado las capas de papel y de fieltro.

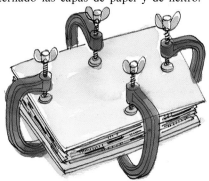

En el segundo tipo de prensa se han empleado tiras de madera dura y tuercas de mariposa, en lugar de abrazaderas. Las tiras de madera dura evitan que las tablas se arqueen por el centro.

CONFECCIÓN DE LA PULPA

Papeles reciclados

Éste es un método barato y sencillo. Casi cualquier papel puede reciclarse. El papel de ordenador es sumamente adecuado, ya que debe de ser resistente y, por tanto, contiene fibras largas; otros materiales apropiados son el papel marrón que se emplea para envolver (a menos que contenga una gran cantidad de fibras de madera), bolsas de papel y sobres. Hay que evitar los papeles brillantes y satinados, pues probablemente estén recubiertos con caolín, el cual podría producir parches polvorientos en el papel. También sirve el papel ya impreso, aunque no conviene usar ninguno que lo esté en exceso. El papel de periódico puede utilizarse para dar volumen, siempre que se combine con otros materiales. También se puede emplear solo, pero no en los casos en que se busque hacer un papel resistente. Nunca hay que usarlo para elaborar papel que se pretenda sea duradero, puesto que su alto contenido en ácidos hará que se estropee al poco tiempo. El papel común de periódico se volverá gris cuando se transforme en pulpa y el de color salmón tomará un color pardusco cuando se seque. La tinta se puede quitar hirviendo la pulpa en una solución compuesta por unas 2 cucharadas de detergente por cada 4 litros de agua. Cuando hierva, saldrá una nata formada por una mezcla de tinta y detergente, la cual habrá que eliminar con una espumadera. Después se lava la pulpa con cuidado, siguiendo las instrucciones que se dan para los papeles vegetales en la página 28.

1 Eliminar cualquier residuo de pegamento, grapas o de cualquier otra cosa que pueda estropear el producto final o dañar los utensilios de trabajo.

2 Rasgar el papel en trozos de aproximadamente 3 cm² y remojarlos en agua durante toda la noche. Si se remojan durante más tiempo se deshará el papel, pero no hay que dejarlo más de una semana porque empezará a oler mal. El tiempo de remojo puede acortarse si se echa agua hirviendo sobre el papel y se le deja un par de horas, o también puede hervirse en un recipiente inoxidable de tamaño grande durante una media hora.

3 Licuar el papel mojado poco a poco. Empezar con unos 10 o 15 trozos por cada 3/4 de litro. Al poco tiempo se podrá juzgar cuánto papel puede licuarse cómodamente en cada tanda.

No hay que dejar que la licuadora se fuerce, ya que podría estropearse y el papel no se desharía de manera uniforme. Hay que empezar por licuar durante 15 segundos. Si todavía hay grumos de papel suspendidos en la pulpa, licuar un poco más. La pulpa debe tener una consistencia suave y cremosa. Aunque no es decisivo el tiempo exacto, hay que evitar licuar durante un tiempo prolongado, puesto que cuanto más se deshaga la pulpa, más cortas serán la fibras y menos resistente resultará el papel.

Trapos de algodón

Las gamuzas de algodón comerciales se pueden usar cuando se quiere hacer una cantidad importante de papel. Para abatir el costo se pueden mezclar con pulpa reciclada o vegetal y, en este caso, un kilo de preparado debe rendir lo bastante. Las fibras de los trapos de algodón son más largas que las del papel reciclado, además de que aumentan la resistencia del papel hecho a mano. Esta cualidad las hace especialmente útiles como ingredientes de los papeles vegetales delicados.
Para transformar los trapos de algodón en pulpa, simplemente se corta un trozo de unos 15

cm², se rasga en pedazos y se licúa en 3/4 de litro de agua. La pulpa, a la que se deja durante unos minutos para que absorba el agua, queda lista para usarse.

Almacenaje de la pulpa restante

La pulpa se puede guardar, pero si se almacena durante mucho tiempo empezará a desprender mal olor, por lo que habrá que lavarla a fondo antes de usarla. Si el olor es muy fuerte, se echa un poco de lejía, se la deja alrededor de una hora y después se aclara. Para evitar que se pudra se agregan unas cuantas gotas de formalina (o formaldehído) por cada litro de agua. Otra forma es ponerle una cucharada pequeña de bicarbonato de sodio y una cucharada pequeña de ácido ascórbido.
Se puede conservar la pulpa en una forma más compacta colándola a través de una malla de cortina y refrigerándola en un envase estanco.
La pulpa seca se puede almacenar indefinidamente colándola, exprimiendo lo más posible toda el agua y colgándola para que se seque. Antes de usarla se empapa y se vuelve a licuar. La fotografía de abajo muestra dos trozos de pulpa que se dejaron secar de esa manera.

Los periódicos se pueden
llegar a reciclar para
hacer nuevas hojas de
papel, cuyo aspecto varía
de acuerdo a la
composición exacta de la
pulpa. Ésa es una buena
forma para que los
principiantes experimenten
con las técnicas básicas de
la elaboración manual de
papel. En esta fotografía,
el papel de la esquina
superior derecha se hizo
con un periódico impreso
en papel blanco.
Agregando sólo una
pequeña cantidad de papel
negro a la pulpa, el
resultado fue un efecto
significativamente más
oscuro (abajo derecha).
Un periódico de color
salmón, como el Financial
Times, produce un
atractivo efecto parduzco
(arriba izquierda). Para
elaborar la hoja central
que aparece aquí, se
añadieron trozos de papel
a la pulpa después de
licuarla. Todos estos
ejemplos se dejaron secar
naturalmente, sin pesas.

PAPELES VEGETALES

Material:
*Un cazo grande esmaltado o de aluminio, sin
   defectos en su interior*
Tijeras
Malla de cortina
Colador o tamiz
Una taza o jarra
Espátula de plástico o de madera
Cuchara medidora

Para las materias vegetales más resistentes:
Sosa cáustica
Guantes de goma
Molinillo de carne (opcional)

Existe una diversidad de plantas que pueden
añadirse a la pulpa de papel reciclado o de
trapos de algodón, con un poco de preparación.
Por ejemplo, se pueden licuar flores como las
campanillas y las del cerezo o del manzano
durante unos segundos y añadirse directamente a
la pulpa ya preparada. También se pueden usar
los tallos, si son blandos, pero primero hay que
cortarlos en trozos de unos 5 cm. Para elaborar
un papel muy decorativo, se pueden guardar
algunas corolas de flores y salpicarlas sobre la
pulpa antes de agitarla. Los papeles hechos con
plantas y flores deben prensarse y secarse con
pesas (ver el método de secado 3 en la página
37) igual que se hace para las flores secas.
Cuando están desecadas pueden ser muy
delicadas y frágiles, por lo que no se aconseja
usar más de la mitad de plantas que de mezcla
de pulpa.
Las plantas se pueden utilizar recién cortadas o
se pueden almacenar para usarlas en otra
ocasión. Si se piensa dejarlas por poco tiempo,
habrá que cortarlas en tiras de 5 a 10 cm y
mantenerlas en remojo en agua, pero si se las va
a almacenar por más tiempo, hay que dejar los
trozos al aire libre formando una pila. Al poco
tiempo, las plantas empezarán a pudrirse y a
fermentar y el olor que emanen resultará
desagradable, pero ésta es una forma natural de
liberar la celulosa, lo que acortará el tiempo de
preparación. (De todas maneras es recomendable
aclarar a fondo las plantas podridas antes de
usarlas.).

Preparación del material vegetal
Algunas plantas como el apio, el puerro y el
ruibarbo se desharán bastante rápidamente al
hervirlas y pueden producir resultados totalmente
variados, como se muestra en la página 31.

1 *Cortar los tallos en trozos de 2 a 5 cm y
hervirlos hasta que se hayan deshecho en
hebras.*

2 *Para eliminar la materia no fibrosa, poner una
malla de cortina dentro de un colador o de un
tamiz, echar la materia vegetal hervida y enjuagar
a fondo hasta que el agua salga clara.*

3 *Unir las esquinas de la malla para hacer una
bolsa, exprimir el exceso de agua y aclarar de
nuevo. Repetir hasta que toda la materia vegetal
blanda excedente quede eliminada.*

Las fibras restantes van a constituir solamente
una fracción del volumen de la materia vegetal
que había antes de hervir. Entonces se pueden
revolver con la pulpa de papel, puesto que van a
crear un papel decorativo con un carácter bien
definido, o se pueden licuar antes para hacer una
hoja con una textura más delicada. La
proporción 1:1 de plantas y de pulpa de papel es
un buen comienzo para este experimento.

*En las páginas siguientes una colección de papeles
hechos con flores secas nos sugiere algo de la variedad
de papeles vegetales que se pueden elaborar en casa sin
ninguna dificultad. Esparcir pétalos de flores encima de
la pulpa antes de hacer las hojas incrementa su carácter
original y decorativo.*

PREPARACIÓN DE MATERIAS VEGETALES RESISTENTES

Plantas como la paja, los tallos de maíz o los helechos requieren más tiempo de ebullición para deshacerse hasta convertirse en fibras útiles. Es preciso cortar estas plantas en tiras de 5 a 10 cm. Cuando se trata de plantas realmente resistentes se recomienda triturarlas con la ayuda de un mazo.

Es mejor hervir las plantas sin sustancias químicas, por si éstas llegaran a estropear el papel, aunque ese procedimiento toma varias horas. De todas formas, el trabajo se puede acelerar poniendo sosa cáustica en el cazo antes de hervir las plantas pero, cuando se enjuaguen las fibras, es necesario utilizar guantes de goma y un delantal, ya que las salpicaduras en las manos o en la ropa producen quemaduras. No hay que exceder la cantidad de sosa que se indica en el paquete comercial. Como regla general, no hay que usar más de una cucharada grande por cada 5 litros de agua. Es mejor equivocarse y quedarse corto, ya que siempre se puede volver a hervir la materia vegetal y, en cambio, si se pone demasiada sosa cáustica, las fibras quedarán irremediablemente dañadas. Las fibras vegetales se lavan a fondo después de hervirlas para eliminar los restos de la sustancia química. Si es posible, se pone el colador bajo un chorro moderado de agua, exprimiendo la materia cada poco tiempo, mientras continúa el aclarado, como se describe en la página 28.

Es factible experimentar otras formas de deshacer las fibras. Se puede intentar molerlas con un molinillo de carne, ya sea antes o después de hervirlas. Si se hierven y *después* se muelen, quizá sea posible hacer hojas con una textura áspera sin necesidad de licuar. Algunas materias vegetales, como la paja, se pueden utilizar por sí solas, aunque es aconsejable añadir una parte de pulpa de papel finamente licuada para rellenar los agujeros pequeños que puedan quedar.

Este papel es meramente
decorativo, resultando
demasiado frágil para
cualquier finalidad práctica
—se trata simplemente de
un enredijo de fibras de
plantas, a partir de hojas
muertas que han sido
hervidas y groseramente
licuadas. La ausencia de
pulpa ha producido un
efecto de entramado flojo
con grandes espacios
abiertos.

La casualidad forma parte de la diversión de elaborar el papel a mano con ayuda de materias vegetales. Siempre es una buena idea tomar notas precisas sobre cada papel que se elabora, de modo que se pueda repetir un procedimiento determinado cuando los resultados sean satisfactorios. Sin embargo, aun con la ayuda de las notas, no siempre es posible igualar las distintas partidas de pulpa con la que se trabaja. Los vegetales que se emplearon para fabricar los papeles que se muestran aquí se hirvieron hasta quedar pastosos y, algunos de ellos, se licuaron antes de mezclarse con la pulpa de papel reciclado. Las materias utilizadas son:
1. Puerros hervidos.
2. Cáscaras de cebolla, hervidas y licuadas.
3. Puerros hervidos y licuados.
4. Hojas de árbol secas, hervidas y licuadas.
5. Ruibarbo hervido.
6. Hojas secas a las que se dejó madurar antes de hervirse y licuarse.

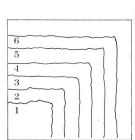

Las materias vegetales más resistentes, como la paja, requieren un tratamiento especial para descomponerlas en fibras útiles para elaborar papel. La manufactura de estos tres papeles de paja y tres de flores silvestres se aceleró agregando una pequeña cantidad de sosa cáustica antes de la ebullición, tal como se describe en la página 30. En el caso de los papeles de flores silvestres, la pulpa de las flores se mezcló con pulpa de papel licuada.

1. Flores silvestres.
2. Flores silvestres.
3. Paja.
4. Paja.
5. Flores silvestres.
6. Paja.

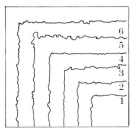

FORMACIÓN DE LAS HOJAS

La pulpa licuada debe ser una suspensión de fibras en agua con la consistencia de una mezcla cremosa. Cuanto más delgada sea la pulpa, más delicada será la hoja de papel. Para empezar, hay que verificar que la capa de pulpa tenga de unos 2 a 3 mm de espesor estando sobre el molde. Si la pulpa se encuentra más espesa, se añade más agua en la tina. Si es más delgada, hay que quitar agua y añadir más pulpa.

Cuando la primera tanda de papel esté seca, se verá la relación que guarda el espesor de la capa de pulpa con el espesor del papel.

Si se desea que todas las hojas del papel que se van elaborando salgan iguales, habrá que licuar suficiente pulpa antes de empezar y unirla en un solo tanto. Para ello, harán falta varios cubos para ir guardándola. Pero si no importa que haya ligeras diferencias entre cada hoja, se puede ir confeccionando la pulpa conforme se vaya necesitando, llenando la tina con la pulpa que salga de la licuadora.

Si la hoja queda muy mal formada, se puede volver a usar esa misma pulpa regresándola a la tina, simplemente dando vuelta al molde y de ese modo se volverá a integrar con el resto. Pero si ya se ha prensado el papel, entonces no se puede regresar directamente a la tina, puesto que no se lograría una mezcla uniforme. En ese caso, hace falta licuar de nuevo la hoja durante unos 5 segundos antes de reintegrarla a la tina. Sólo hay que recordar que la licuación rompe las fibras, por lo que la hoja que resulte de este procedimiento será más frágil que las demás. Los pasos 1 a 8 describen cómo elaborar la hoja, sea cual sea el método de secado que se elija (el secado se explica en las páginas 36 y 37).

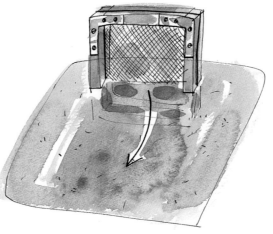

3 *Colocar la forma encima del molde, del lado de la malla. Sujetarlos con firmeza y sumergirlos de forma vertical en dirección al lado opuesto de la tina.*

4 *Con movimientos lo más suaves posible, inclinar el molde hasta que quede en posición horizontal y atraerlo hacia el frente de la tina hasta estar completamente sumergido. Tirar hacia arriba para recoger la pulpa.*

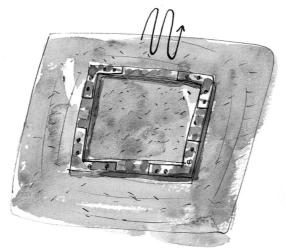

1 *Llenar la tina con la pulpa, de modo que el molde y la forma puedan sumergirse con facilidad, pero no a menos de 7 u 8 cm por debajo del borde, pues de otra manera se salpicará el área de trabajo cuando se saquen el molde y la forma.*

2 *Revolver la pulpa con la mano o agitarla con una escobilla. Hacer este movimiento con rapidez, antes de que la pulpa se asiente en el fondo de la tina.*

6 *Manteniendo el molde en posición horizontal, se da una rápida sacudida de lado a lado y del frente hacia atrás, como se muestra arriba. Hay que hacer este movimiento antes de que haya drenado toda el agua y la pulpa haya empezado a endurecerse. Esa acción de «deshacer la ola» empareja la pulpa y dispersa las fibras, evitando que todas ellas queden dispuestas en una misma dirección.*

7 *Sostener el molde y la forma encima de la tina ligeramente inclinados para que drene el exceso de agua.*

Para conseguirlo hay que hacer las hojas sin usar la forma. Las orillas quedarán deshilachadas y suaves, además de ser notablemente más delgadas.

1 Colocar una gamuza de la limpieza mojada sobre una plancha de formica o plexiglás. Confirmar que se cuenta con espacio suficiente para que quepa la hoja grande, así que si no se quiere quedar limitado al tamaño de la gamuza, se puede poner en su lugar malla de cortinas, mantas o sábanas de algodón mojadas.

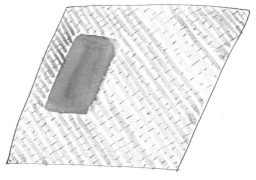

4 Continuar armando la hoja de esta manera hasta llegar al tamaño deseado.

5 Es preferible prensar las hojas antes de que sequen, ya que eso reforzará las uniones, aunque no es indispensable. Los pliegos de gran tamaño que se hagan sobre mallas, mantas o sábanas pueden dejarse a secar en un tendedero bajo techo, siempre que se sostenga la tela de base con pinzas de tender la ropa, a lo largo del papel.

2 Transferir la primera hoja cerca de la esquina izquierda de la tela.

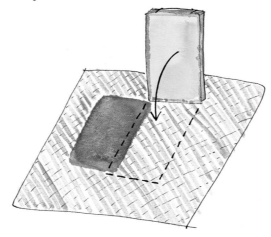

3 Hacer la segunda hoja con el molde y colocarla junto a la primera, dejando que se superpongan ligeramente los bordes.

5 Conforme se vaya alzando el molde, la succión que facilita que las fibras caigan en la malla puede ser muy fuerte. La pulpa todavía estará bastante líquida.

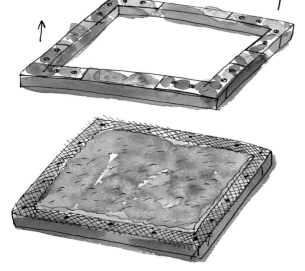

8 Colocar el molde sobre una superficie plana y retirar cuidadosamente la forma fuera del molde, teniendo precaución de que no gotee encima de la pulpa que quedó depositada sobre la malla. Si en este momento caen gotas sobre la pulpa, las fibras se desplazan y se producirán agujeros en el papel terminado.

SECADO

El método tradicional de secado, o recostado, implica transferir la hoja de papel recién hecha del molde a una manta. Después se coloca un fieltro encima de la hoja, otra hoja recién hecha encima de eso, otro fieltro, y así sucesivamente. Ese emparedado se prensa entre objetos pesados. El recostado fue ideado para la manufactura de papel a gran escala. Para la producción casera a menor escala existen métodos más sencillos y prácticos.

Método 1

Material:
Moldes complementarios
Periódicos
Espátula

1 *Dejar el molde sobre un montón de periódicos, con la pulpa hacia arriba. Los periódicos absorberán la humedad del molde, por lo que será necesario cambiarlos varias veces, antes de que seque la hoja.*

2 *Cuando haya escurrido la mayor parte del agua del molde y de la hoja de papel, lo más seguro es inclinarlos. Se apoyan contra una pared o un mueble para que terminen de secar, pero hay que tener cuidado de que la pulpa esté lo suficientemente seca, pues de otro modo se podría resbalar.*

3 *Cuando el papel esté completamente seco, meter cuidadosamente la espátula por una orilla para separar el papel del molde y despegar minuciosamente la hoja de la malla.*

Método 2

Se recomienda aplicar este método cuando se están elaborando varias hojas y sólo se dispone de un molde y una forma:

Material:
Tendedero bajo techo
Pinzas de tender la ropa
Gamuzas de limpieza desechables (las marcas comerciales menos texturizadas son las mejores)
Planchas de formica o de plexiglás al menos 5 cm más grandes que el molde (por todos los lados)
Esponja

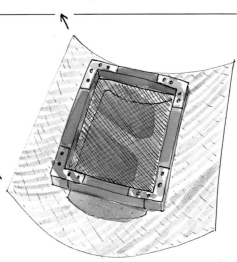

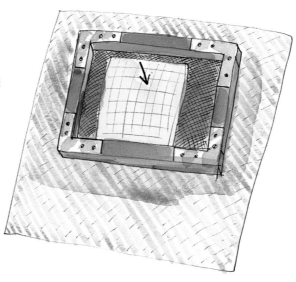

1 *Colocar la gamuza mojada sobre la plancha. La gamuza debe estar mojada para que cuando se coloque la pulpa encima no se encoja ni se arrugue y deforme la hoja, así como para reducir el riesgo de que las fibras se abran cuando se transfiere la pulpa de la malla.*

2 *Invertir el molde sobre la gamuza. Pasar cuidadosamente la esponja sobre la malla, absorbiendo la mayor cantidad de agua. Esto creará un vacío entre la plancha de formica (o plexiglás), la pulpa y la malla.*

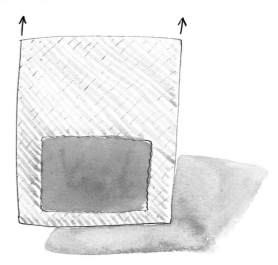

3 *Levantar las esquinas de la gamuza y separarla de la plancha para eliminar el vacío. El molde saltará de la pulpa, la cual se habrá adherido a la gamuza por succión.*

4 *Colgar la gamuza, con ayuda de las pinzas, en el tendedero y colocar debajo un recipiente, u hojas de papel, para recoger las gotas de agua que caigan. Cuando la hoja de papel esté seca, colocarla boca abajo sobre una superficie plana, limpia y seca, y separarla con cuidado de la gamuza.*

Método 3

Material:

Gamuzas desechables

Plancha de formica o plexiglás mayor que el molde

Bastante periódico o papel secante, o de preferencia trozos de mantas viejas, al menos 5 cm más grandes que el molde (por todos los lados)

Tablas para prensar y objetos pesados. Se recomienda la madera de teca, aunque la madera contrachapada de melamina o formica también sirve

1 Colocar un periódico completo o trozos de manta (o ambos) hasta cubrir un espesor de 5 mm sobre una de las tablas para prensar. Si se van a usar los periódicos y la manta poner ésta encima para que quede pegada a la hoja de papel fresca, ya que el periódico se arruga con facilidad cuando está mojado y puede producir rayas o pliegues en la hoja nueva de papel si se mantienen en contacto durante mucho tiempo.

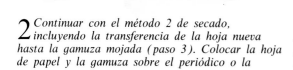

2 Continuar con el método 2 de secado, incluyendo la transferencia de la hoja nueva hasta la gamuza mojada (paso 3). Colocar la hoja de papel y la gamuza sobre el periódico o la manta, con la pulpa hacia arriba, poner otra gamuza mojada encima de la hoja fresca de papel, después otra capa de periódico o de manta (o ambas) encima de la gamuza.

3 Si se usan mantas, se continúa haciendo capas intercaladas de papel fresco hasta que se termine de elaborar las hojas y de apilarlas. Si se usa periódico, apilar sólo 3 o 4 hojas cada vez. Colocar la otra tabla para prensar encima de la pila y pasarla por la prensa para exprimir el exceso de agua. Si no se dispone de prensa, pisar uno mismo la pila durante un par de minutos o colocar objetos muy pesados.

Ahora ya se pueden colgar los papeles a secar, como se indica en el método 2, o se pueden acomodar de forma plana sobre periódicos o mantas. También se pueden secar las hojas de la manera que se describe a continuación, aunque ello toma algo más de tiempo, pero a cambio, las hojas terminadas serán más lisas y planas.

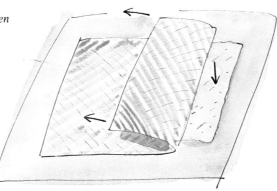

4 Antes de colocar los papeles debajo de los objetos pesados, se les deja secar durante unas cuantas horas. Cuando todavía estén húmedos, se cambian las gamuzas por otras limpias del mismo tipo, acomodando la hoja de papel boca abajo sobre la gamuza nueva y despegando con cuidado la gamuza mojada. Se podría usar papel secante pero, si la hoja recién hecha es muy delgada, podría arrugarse.

5 Apilar las hojas de papel con sus gamuzas separadoras entre las tablas para prensar, como se describió anteriormente. Colocar los objetos pesados. No hay que dejarlas demasiado tiempo en la prensa ni debajo de los objetos pesados, ya que

no se secarían por el centro. Si se dispone de más tablas para prensar, colocarlas dentro de la pila, lo cual ayudará a evitar las arrugas.

6 Después de un par de días, se pueden quitar las tablas suplementarias y los separadores, para dejar que las hojas de papel casi secas se terminen de secar entre las dos tablas. El tiempo de secado dependerá del grueso de cada hoja de papel y del número de éstas que haya en la pila.

Revisión de la calidad del papel

Cuando el papel esté listo, se pone contra una fuente potente de luz. Las zonas más delgadas del papel serán más translúcidas. Si la hoja tiene muchos espacios irregulares significa que no quedó bien formada. Existen dos razones que lo explican:

a. Que la pulpa no se hallaba suspendida uniformemente en la tina cuando el molde y la forma fueron sumergidos, o

b. Que el movimiento de «rompimiento de la ola» no fue el adecuado y se formaron burbujas de aire entre la pulpa y la malla. Si el papel resulta más grueso en una esquina en particular, puede ser que el molde no estuviera en posición horizontal cuando se sacó de la tina.

Si se observa que el papel siempre es más grueso en la zona del centro, significa que la malla del molde no está lo suficientemente tensa y se comba a causa del peso de la pulpa.

SUPERFICIE DEL PAPEL

Los papeles tendrán una superficie bastante áspera si es que no han sido prensados. Aun cuando se les prense, la superficie no será tan lisa como la del papel hecho a máquina.

Si se requiere una superficie particularmente lisa, es preciso prensar primero las hojas, según se describe en el método 3 de secado (página 37) y después trabajar cada hoja de papel por separado.

1 *Colocar la hoja, todavía adherida a la gamuza desechable, boca abajo, sobre una superficie lisa, como una plancha de formica o de plexiglás.*

2 *Para cerciorarse de que no se han formado burbujas de aire, presionar cuidadosamente con la mano por toda la superficie de la hoja.*

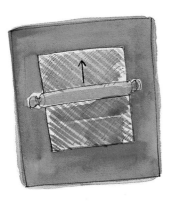

3 *Presionar firmemente la hoja de papel sobre la tabla con un rodillo de cocina, desde el centro hacia afuera, con cuidado de no formar pliegues.*

4 *Despegar con cuidado la gamuza desechable y dejar que la hoja de papel seque sobre la plancha.*

5 *Cuando termine de secarse, despegar el papel de la plancha. La hoja debe estar tan lisa como la superficie contra la cual se adhirió. Hay que comprobar que el papel está completamente seco antes de iniciar este último paso, o la hoja podría arrugarse o rasgarse.*

ENCOLADO

Este procedimiento sella la superficie del papel y evita que las pinturas de agua y las tintas sangren, formando bordes difuminados alrededor de cada línea que se trace. Existen muchas sustancias que sirven para encolar o dar apresto al papel. Las más fáciles de conseguir son: gelatina normal, almidón, adhesivo para papel tapiz o pegamento blanco (tipo PVA). Cualquiera de esos productos se prepara según las instrucciones del paquete, aunque las cantidades varían en relación con el método de aplicación y el tipo de pulpa. Las cantidades aproximadas se describen más adelante, pero será la práctica la que indique cuáles son las más apropiadas.

Encolado en la tina

Agregar el apresto disuelto a la pulpa para que las hojas queden formadas y encoladas en una sola operación. Las siguientes cantidades están calculadas para una tina grande.

Gelatina: medio paquete disuelto en un poco de agua caliente antes de vaciarlo en la tina.

Almidón: disolver una cucharada grande en un poco de agua caliente.

Pegamento: diluir una cucharada de postre antes de revolverlo con el contenido de la tina.

Ésta parece la manera más sencilla de dar apresto al papel, aunque supone algunos problemas. Si se emplea gelatina, habrá que tener la pulpa aún caliente de la ebullición y trabajarla rápidamente, ya que la gelatina empieza a solidificarse y forma pequeños grumos sobre el papel. Si se pone demasiada, la pulpa se vuelve pegajosa y es difícil sacarla del molde. En ocasiones, el apresto no se dispersa de manera uniforme en la pulpa, aunque esto sólo se notará cuando se quiera utilizar el papel para escribir o realizar algún trabajo. Por último, si se revuelve el apresto con la pulpa, es evidente que todas las hojas que se elaboren saldrán recubiertas, pero

hay que recordar que en ciertas aplicaciones, como la impresión, el papel sin apresto siempre es mejor.

Encolado después de hacer la hoja

Este sistema tarda más tiempo, pero cuenta con algunas ventajas, como que cada hoja pueda ser tratada de manera individual; que dar el apresto después de elaborada la hoja aumenta la resistencia y, por lo general, sella la superficie de modo más uniforme. Antes de empezar, se comprueba que el papel se haya dejado secar al menos durante tres semanas para que esté bien asentado, pues de otro modo podría desintegrarse.

Los distintos métodos de dar apresto después de hecha la hoja de papel son: aplicación con brocha, con pulverizador y en tina (de dos formas diferentes). Para cada método se puede usar cualquier tipo de apresto: gelatina, almidón o pegamento tipo PVA.

Aplicación con brocha

Éste es el método más sencillo de todos, pero tarda más tiempo. Se usa una brocha suave, que no sea de cerdas, las cuales podrían dañar la superficie del papel. Con este método se da una capa más gruesa y regular que con el pulverizador. Es particularmente útil en las ocasiones en que se prepara el papel para hacer caligrafía, ya que algunas tintas caligráficas tienden a sangrar en el papel de una manera exagerada.

Aplicación con pulverizador

Material:
Pulverizador para plantas o brocha de aire del modelo más barato. No emplear aquí la misma brocha que se vaya a usar para hacer trabajos delicados de pintura
Plancha de formica y bastante papel absorbente de desperdicio (de preferencia sin imprimir)

El apresto debe de estar bastante delgado para que no obstruya el conducto del pulverizador. Un método realmente rápido es usar almidón o apresto en spray, del tipo que se plancha para secar. También se puede usar fijador en spray, aunque éste contiene sustancias que podrían estropear el papel a largo plazo y sobre todo hay que evitarlo en los papeles que vayan a ser utilizados para encuadernar.

Encolado en cubeta

Preparar el apresto siguiendo las instrucciones del envase y adelgazarlo considerablemente con agua; por ejemplo: un paquete de gelatina necesitaría de 2 a 3 litros de agua. El apresto disuelto no debe quedar muy pegajoso. La idea es ponerlo en un recipiente, como una cubeta de fotógrafo, y bañar el papel en esa preparación. Pero atención, si se manipulan en exceso las hojas mientras están húmedas podrían dañarse. Una forma de evitar que eso ocurra es seguir

alguno de los métodos que se explican a continuación.

Método 1

Material:
Recipiente poco profundo
2 planchas de plexiglás. Deben ser más pequeñas que el recipiente y mayores que las hojas de papel
Listones de madera
Gamuzas de limpieza desechables
Periódicos

Este procedimiento es bastante sucio, de modo que es preferible hacerlo fuera de la casa o cubrir con bastante periódico el suelo del área de trabajo. El «emparedado» de papel y plexiglás resultará pesado, por lo que no es aconsejable aplicar este tratamiento a una gran cantidad de papeles.

1 *Colocar una plancha de plexiglás en la base de la cubeta fotográfica llena de apresto. Si se coloca el plexiglás encima de dos listones cortos de madera será más fácil sacarlo.*

2 *Introducir con cuidado la hoja de papel en el apresto y empujarla hacia el plexiglás.*

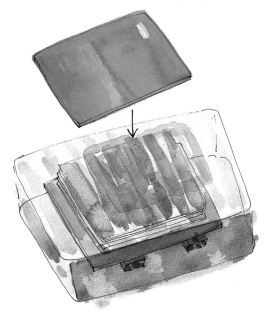

3 *Repetir el procedimiento formando una pila de hojas hasta que todas hayan recibido el apresto. Colocar la segunda plancha de plexiglás encima de la pila y extraer todo el conjunto de papeles y de plexiglás.*

4 *Prensar la pila durante un cuarto de hora aproximadamente, después retirar la plancha de plexiglás de arriba y separar con precaución todos los papeles. Se puede dejar que sequen por separado sobre papel absorbente o reunirlos de nuevo y ponerlos a secar bajo objetos pesados, como en el método de secado número 3.*

Método 2

Material:
Recipiente poco profundo
Gamuzas de limpieza desechables

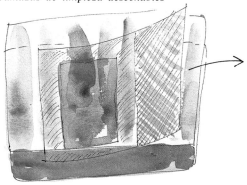

1 *Colocar el papel que va a recibir el apresto sobre una gamuza desechable, después introducirla suavemente en el apresto con el papel en la parte de arriba. Extraerla después de que el apresto haya empapado el papel.*

2 *Con este método existe el riesgo de que se formen burbujas en la superficie del papel, así que es conveniente poner otra gamuza desechable encima del papel y presionar con la mano o con un rodillo para que desaparezcan las burbujas.*

OTRAS POSIBILIDADES CON LA PULPA

Existen diversas formas de modificar el aspecto del papel mientras se trabaja con él. Se pueden experimentar las técnicas descritas a continuación para producir papeles que sean objetos atractivos en sí mismos, para enmarcarlos o quizá usarlos como cubiertas de libros algo insólitas.

Marcas de agua

Una marca de agua se incorpora a una hoja de papel mediante un dibujo en relieve integrado en la malla del molde. Esta posibilidad ofrece una interesante variedad de posibilidades de experimentación. Se puede fabricar un monograma con alambre de aluminio, alambre eléctrico grueso, hilo de pescar, o un trozo de cuerda de guitarra, cosidos a la malla con un hilo muy delgado.

Colorantes

Dentro de la tina se pueden poner colorantes para alimentos, tintes para textiles, pinturas o tintas de agua, con el fin de cambiar el color de la pulpa. También se puede experimentar con anilinas para teñir cuero. Siempre que se apliquen colorantes es indispensable usar guantes de goma. Otra posibilidad es reciclar papel con muchos colorantes y mezclarlo con la pulpa.
Hay que tener en cuenta que la pulpa mojada siempre presentará un tono mucho más oscuro que cuando el papel terminado esté seco. La única forma de apreciar el color del papel es haciendo una prueba. Una forma rápida de realizarla es tomar una muestra de pulpa mojada, exprimir el agua y dejarla secar, ya sea en el radiador, o con la ayuda de un secador de cabello.
Cualquiera que sea el producto que se vaya a usar es preciso integrarlo a la mezcla poco a poco. Los tintes para agua fría, las pinturas en polvo y los tintes muy concentrados deben agregarse a las materias básicas en la batidora (o licuadora) antes de hacer la pulpa, para cerciorarse de que la mezcla queda uniforme. Los tintes Dr. Martins (de venta en tiendas de materiales para artistas) y los tintes para textiles requieren muy poca cantidad. Si la pulpa se ha teñido más de la cuenta, se puede añadir trapo de algodón o pulpa de colores claros para corregir el resultado.
No hay que olvidar usar guantes de goma cuando se trabaja con colorantes, incluso cuando se trate de productos solubles en agua.

Retazos

Es posible formar un pliego de papel de gran tamaño en el que se combinen diversos colores uniendo retazos de diferentes papeles.
Cada trozo se elabora sin la «forma», por lo que las orillas serán muy barbadas y el papel bastante delgado.
El primer retazo se coloca sobre un fieltro y junto se coloca el segundo retazo, de manera que los bordes barbados se superpongan. La manera ideal de que se unan es sin que se produzcan grumos ni ondulaciones.
Se puede unir cualquier número de trozos de papel, aunque no es necesario prensar el pliego terminado antes de secarse. El prensado puede facilitar que las fibras se entretejan, lo cual refuerza la unión.
Prescindir de la «forma» significa que ya no es necesario apegarse a la estructura rectangular del bastidor. Así, se puede sumergir parcialmente el molde en la pulpa para formar tiras estrechas o esquinas triangulares de papel.
Con este procedimiento se pueden crear muchos diseños insólitos y llamativos. Se puede añadir una textura determinada presionando la pulpa mojada contra el molde, antes del secado.
También se pueden hacer collages con ayuda de otros materiales que se apliquen sobre la hoja recién formada usando la pulpa como adhesivo. Por ejemplo, se pueden unir hojas muy finas de papel con gotas pequeñas de pulpa colocadas cuidadosamente con unas pincillas. Los objetos más pesados o voluminosos, como plumas o trozos de cuerda, necesitan sujetarse con unas tiras muy finas hechas de pulpa.
Es posible laminar distintas materias entre dos hojas delgadas de papel colocadas una encima de la otra antes de secarse. Esta especie de «emparedado» puede entonces manipularse de diversas maneras. Por ejemplo, si se lamina un trozo de cuerda de este modo y después se tira de ella para que rasgue la capa de encima, se habrán creado unas ondulaciones con una textura muy interesante a lo largo de la hoja de papel.

Las hojas de papel que componen este collage se dejaron secar antes de unirse entre sí con pequeños trozos de pulpa de papel, los cuales, en el resultado final, son prácticamente invisibles. Algunos de los papeles se tiñeron para darles un aspecto manchado, un detalle que mejora el aspecto general de la pieza.

El «emparedado» de objetos delicados entre dos hojas de papel, como en el caso de las plumas, pone al descubierto un cúmulo de opciones creativas. Los papeles decorados de esa manera se pueden montar sobre una pantalla que reciba una iluminación trasera y dar la apariencia de siluetas, pero aun cuando no haya luz artificial, el objeto constituye una interesante variante de la textura. Es preciso emplear hojas de papel muy delgadas para permitir que la textura resalte.

Rasgar el papel con trozos de cuerda antes de que seque crea una impresión decorativa muy novedosa. En el ejemplo de la derecha, se tiró de las cuerdas a través de la capa superior de un emparedado de papel cuando la pulpa estaba aún mojada. En la fotografía de la izquierda, el papel se rasgó cuando la pulpa estaba casi seca, lo que produjo unos bordes de aspecto deshilachado.

MUESTRARIO DE PAPELES

Los muestrarios de costura que se elaboraban tradicionalmente servían para experimentar y perfeccionar diferentes clases de puntadas. La idea es perfectamente aplicable al caso del papel con el que se pueden poner a prueba distintas técnicas para crear efectos decorativos y después reunir los resultados en un muestrario.

En la siguiente sección se presenta una carpeta con muestras de papeles, la cual ha sido planificada como introducción al repertorio de las técnicas básicas para trabajar el papel. Se han empleado papeles con tonos naturales para permitir que el ojo aprecie la sutileza de los efectos, sin ningún otro elemento que distraiga. Cada persona puede reunir su propia colección de muestras de cada experimento que vaya efectuando, ya sea como un bello recordatorio decorativo, o simplemente para extender sus conocimientos sobre el comportamiento del papel. Cuando se trabaje con diversos espesores y tamaños del papel se observará que cada uno tiene una forma diferente de reaccionar.

El propósito es aportar un punto de arranque para la imaginación de cada individuo y no un recetario de reglas rígidas. En cuanto surge la familiaridad con las técnicas fundamentales, éstas se pueden aplicar a trabajos más complejos, como los que aparecen en las páginas 95 a 131. Los utensilios necesarios para realizar estos trabajos son prácticamente los mismos para todas las técnicas. Para cortar hace falta una cuchilla afilada o un escalpelo, además de proteger la mesa de trabajo con un cartón grueso o una lámina sintética especial para cortar. Los lapiceros que se utilicen para marcar el papel deben tener una punta consistente; es preferible usar portaminas que no necesiten afilarse ni sacar punta. Las minas deben de ser H o HB, ya que las más blandas manchan el papel. Un compás de puntas permitirá marcar medidas iguales.

Es conveniente igualmente adquirir una plegadora de hueso, es decir, una paleta plana hecha de hueso o plástico con un extremo curvo y otro puntiagudo (pero no afilado). Ésta es una herramienta muy útil para rayar, plegar, aislar y modelar el papel y se puede comprar en los establecimientos que venden artículos para encuadernación. Las plegadoras de hueso son más agradables de manejar que las de plástico. La plegadora además se puede lijar con facilidad para afinar la punta, si ésta es demasiado gruesa. Una alternativa es adaptar un abrecartas viejo o usar un cuchillo de mesa sin filo.

Las tablas para prensar son fundamentales. Aquí se usarán dos tablas de madera contrachapada o tableros de fibra de densidad media. Las superficies deben estar muy bien lijadas para evitar que se impriman texturas desagradables sobre el papel. Un tanto de material impermeable (de papel encerado o de polietileno) conservará las tablas de prensar secas. En el momento de realizar los agujeros o de prensar, será necesario contar con una superficie suave, por ejemplo, una manta vieja, fieltro, o una plancha de goma espuma de aproximadamente 1 cm de espesor, que deben estar cortadas en dos mitades, cada una de ellas mayor que el papel con el que se va a trabajar.

No será preciso ejercer una gran presión sobre el papel en el que se esté trabajando, ya que se corre el riesgo de magullarlo y de que aparezcan marcas brillantes. Antes de empezar, hay que elegir un lugar de trabajo cómodo, que tenga buena altura, para evitar dolores de espalda o de cuello. Por último, hay que aplicar las normas de sentido común para garantizar la seguridad en el momento de cortar el papel.

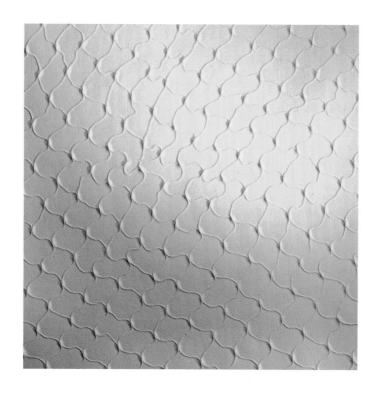

ESTRUJADO Y ARRUGADO

Material:

Tablas para prensar y pesas (objetos pesados)
Manta vieja, fieltro o goma espuma
Materiales impermeables

Al hablar de papel estrujado podría pensarse en el contenido del cesto de la basura, pero ello no significa que no puedan crearse texturas sorprendentemente atractivas gracias a esa técnica, por contraste con otras que presentan el papel de una forma más pulcra y ordenada. Además puede ser una forma muy saludable de desahogar las tensiones de un día agitado.

Se toma una hoja de papel (no demasiado gruesa porque podría agrietarse) y se estruja con firmeza. Se desdobla y se estruja otra vez. Cuantas más veces se estruje, las arrugas serán más finas y el papel se hará más suave. Al terminar, se alisa la hoja con delicadeza.

Si se desea añadir un toque de color al papel arrugado se puede meter la pelota de papel en un recipiente con café o té tibio y diluido durante un minuto o dos. (Después se puede modificar la concentración de la solución o también hacer la prueba con tintes textiles para agua fría.) Dejar que la pelota de papel seque y abrirla completamente. Se observará que en los sitios en los que las fibras del papel resultaron dañadas por el estrujado la absorción de las manchas es más pronunciada que en los espacios lisos, lo que produce un acabado final de veteado o cuarteaduras. También se puede dar al papel una superficie rizada sumergiéndolo en agua y dejándolo secar hasta quedar húmedo, pero no mojado. Se aplana (pero no con demasiada fuerza) y se coloca a secar entre dos tablas para prensar con sus respectivos impermeabilizantes y con algunos objetos pesados encima de la prensa. Si se busca una superficie más pronunciada, se prensa con mantas viejas, fieltro o goma espuma. El papel irá encogiendo a medida que seque y las arrugas se doblarán sobre sí mismas bajo la presión, produciéndose algunas ondulaciones al azar que conservan muy bien su textura cuando se pega sobre cualquier otro papel.

CORTADO Y RASGADO

Material:
Cuchilla afilada o escalpelo
Superficie para cortar
Regla u otro borde recto

La clave de un cortado perfecto es una cuchilla con buen filo. No hay que descuidar la seguridad; es preciso emplear siempre una superficie de apoyo que proteja la mesa; nunca hay que cortar directamente hacia uno, y hay que alejar los dedos de la regla, o del borde recto que se emplee, para evitar accidentes. Muchas personas no saben cortar o lo hacen incorrectamente, así que no hay más remedio que explicar lo que a muchos les parecerá obvio. En primer lugar, sujetar el papel con firmeza sobre el apoyo, ayudándose con la regla. Con la cuchilla inclinada en un ángulo constante, se lleva hacia la derecha o hacia la izquierda, no con

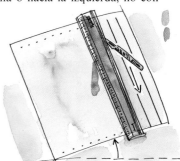

demasiada fuerza porque se arrastraría el papel. Después de cortar, no hay que mover la regla de inmediato, puede hacer falta otro corte para penetrar debidamente. Las superficies curvadas requieren una cuchilla más pequeña, del tipo de los bisturíes de disección o de las cuchillas stencil para cortar. Las formas rasgadas tienen un aire de espontaneidad y pueden ser inesperadamente intrincadas. Para las tiras regulares se rasga a lo largo del grano, ya que si se hace a lo ancho, el efecto final será desaliñado.

PLEGADO

Material:
Superficie de apoyo
Lápiz o compás de puntas
Regla o borde recto
Plegadora de hueso

En este caso, es necesario trabajar con mucha precisión para conseguir unos dobleces limpios y bien formados. Para empezar, se determina la dirección del grano y se coloca el papel sobre la superficie de apoyo. Se hacen unas marcas en la parte de arriba y en la de abajo y, si es necesario, en medio. Los agujeros del compás se pueden ver por ambos lados y, por tanto, son más prácticos que las marcas de lápiz, las cuales hay que hacerlas por las dos caras del papel y no son tan limpias como las marcas del compás.
Cada pliegue se marca con la plegadora de hueso llevándola a lo largo de la orilla recta, hacia uno, y presionando ligeramente.
Después se dobla por la línea marcada, con la ayuda de una regla o de la orilla de una mesa, tal como se muestra aquí abajo.

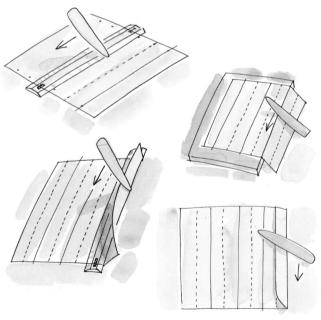

Después se refuerza cada doblez aplanando con la plegadora de hueso firmemente. Luego se da la vuelta a la hoja y se hacen los dobleces de la misma manera (siguiendo las marcas, si es que se usó lápiz).

ENROLLADO

Material:
Cartón o papel rígido
Papel más delgado para los rollos
Clips o pinzas para la ropa
Lápiz o compás de puntas
Regla o borde recto
Plegadora de hueso
Pegamento tipo PVA (ver páginas 96 y 97)

Los dobleces suaves, rollos, o flautas pueden sugerir la amplitud de un cortinaje. Para evitar que los rollos se deshagan, es necesario fijarlos a un soporte de cartón o de papel rígido. Con la ayuda de los clips se puede tener una idea del efecto general que se va a obtener, pero será necesario apiicar el pegamento para que el trabajo sea permanente. Es aconsejable probar esta técnica con papeles de distinto grosor.
Se señalan los anchos en los papeles, al igual que se hizo con la técnica de plegado (ver página 50), pero calculando las distancias, de modo que las secciones planas (las cuales pueden ser relativamente estrechas) alternen con secciones lo suficientemente anchas como para formar un rizo suave y amplio.
Se hacen los dobleces como anteriormente, pero sólo de un lado del papel. Se refuerza cada uno curvando el papel contra el borde recto y volviendo a doblarlo firmemente.
Se sujetan con clips las franjas estrechas sobre el papel rígido o el cartón y se acomodan los rollos para formar ya sea ondas pegadas o bordes ligeramente ondulados.

PERFORADO

Material:
Agujas de coser o de tejer, punzones, carretillas dentadas para marcar patrones de vestidos o cualquier otra herramienta puntiaguda
Manta vieja, fieltro o un trozo de alfombra vieja

Las perforaciones pueden crear cambios espectaculares en la textura de un pliego de papel. Los rayos de luz filtrados a través del papel perforado llegan a formar sombras muy interesantes, además de que siempre se puede hacer uso de una buena iluminación trasera, como sucede con las artesanías tradicionales de hojalata perforada.

En este caso, se puede echar mano de prácticamente cualquier herramienta puntiaguda. Los punzones que normalmente se emplean para trabajos con piel resultarán particularmente eficaces, pero si se busca un efecto barbado, lo ideal serán las agujas para tejer e, incluso, un lapicero. Cuando se utilicen objetos puntiagudos, es preciso colocar el papel sobre una superficie protectora, tal como una manta o un fieltro, con lo que se producirá una textura más marcada por el reverso. Doblando el papel como si fuera un acordeón se puede hacer un diseño con espacios regulares con la ayuda de un punzón o de una perforadora de papel, los cuales permiten cortar varios agujeros al mismo tiempo.

CORTADO Y RANURADO

Material:
Cuchilla afilada o escalpelo
Regla o borde recto
Superficie para cortar
Compás de puntas

Resulta sorprendente ver lo atractivo que puede quedar un diseño con unos cuantos cortes muy sencillos. Se puede empezar cortando con un escalpelo o con una cuchilla de punta muy afilada y después ver el papel a contraluz. Más adelante se puede pasar a otras formas más complicadas de hacer ranuras y, con la práctica adquirida, en poco tiempo se puede dominar el arte de crear diseños de ventanillas, o solapas, como los que aparecen en las fotografías de la izquierda.

Con los cortes controlados, realizados a intervalos regulares, se pueden atravesar tiras de papel para dar el efecto de un tejido, tal como se muestra en la ilustración, aquí abajo. Es recomendable usar una superficie adecuada para cortar y evitar hacer los cortes demasiado cerca unos de otros, pues de otro modo, la hoja podría romperse. Teniendo en cuenta el grosor del papel, será necesario hacer dos cortes por

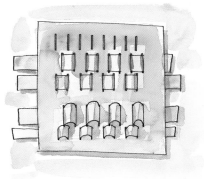

cada inserción y crear una serie de ranuras rectangulares muy estrechas por las que pasará la tira con la cual se ha de formar el tejido final.

IMPRESIONADO O GRABADO

Material:
*Judías secas, arroz, cuerda, redes de plástico u
    otros objetos o texturas apropiados*
*Tablas para prensar, ya sea con objetos pesados o
    con una prensa*
Manta vieja o fieltro
Material impermeable

Es posible crear una textura o un diseño
determinados sobre la superficie plana de un
papel oprimiendo con fuerza un objeto firme o
colocando la hoja contra un material con una
textura muy marcada, como una red, y prensar
con la mayor fuerza posible para que quede
impresionado. El papel admitirá el diseño, con la
suficiente presión, aun estando seco, aunque, por
regla general, es mejor humedecerlo primero para
que las fibras se extiendan y después vuelvan a
encoger alrededor de la superficie en relieve o
troquel.
Si se pretende conseguir resultados excelentes, lo
mejor es servirse de una prensa de
encuadernación o de una vieja máquina
copiadora. También se puede improvisar una
prensa con un torno de mano o con un
exprimidor de lavadora de ropa antigua. Los
objetos muy pesados o los rodillos pueden
producir buenos resultados, pero hay que tener
la precaución de aplicar la presión de manera
uniforme.
Cuando se empleen tablas para prensar, conviene
proteger la tabla inferior contra la humedad.
Después se acomodan las judías, el arroz, la red
o lo que vaya a servir de molde sobre los
protectores impermeables. Se humedece (no
empapar) el papel y se coloca encima de las
semillas o de la red y se cubre con la manta.
Por último, se coloca la otra tabla para prensar
y los objetos pesados. Se deja prensando
alrededor de una hora o más, hasta que el papel
esté seco.
En los casos en los que se desea hacer varias
impresiones de un mismo diseño, se pueden
pegar los objetos en un cartón o papel resistente
para hacer un bloque permanente o troquel. Este
experimento se puede repetir con diversos tipos
de papel y se observará que el diseño tiende a
durar más tiempo en los papeles más gruesos.
Los papeles hechos a mano son particularmente
eficaces para este tipo de trabajo, aunque, en
realidad, no son esenciales.

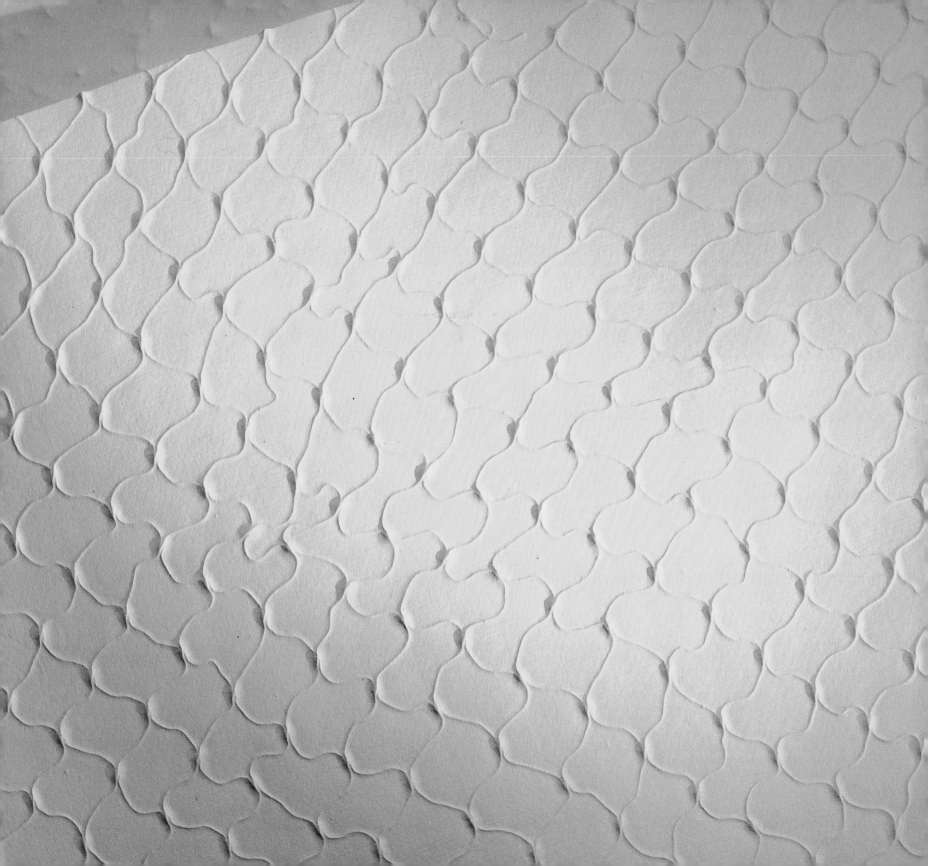

TEJIDO

Material:
Cuchilla afilada y regla o borde recto
Superficie para cortar
Lápiz o compás de puntas
Tabla rígida
Cinta adhesiva

Con la técnica del tejido se pueden crear diseños
más complejos con tiras de papel cortado o rasgado,
siendo posible hacer variaciones con el ancho y los
ángulos de las tiras que forman la trama (atravesadas)
y las que forman la urdimbre o pie (verticales).
También se pueden entretejer tiras de papel de
distintas texturas, colores o decoraciones.
La hoja de papel se divide marcando el ancho
de las columnas, como en la técnica de plegado
(página 50). Las marcas sirven de guía a la regla
o borde recto. Se empiezan a cortar las franjas hacia
abajo, dejando sin cortar una pestaña de 1 cm de
ancho en la orilla superior del papel. Es preferible

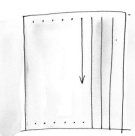

cortar a lo largo del grano, para que el soporte del
tejido sea más rígido. La pestaña que quedó sin cortar
se pega con cinta adhesiva sobre una tabla rígida.
Se cortan tiras de otra hoja, pero esta vez a
lo ancho del grano, para que sean más flexibles.
Cuando se hayan tejido tres o cuatro tiras, las que
forman la trama tenderán a desviarse hacia abajo,
pero eso se puede evitar ajustándolas hacia
arriba, en dirección a la ceja que quedó sin cortar.
Las primeras tiras, más ajustadas, obligarán a
las siguientes a mantenerse en su sitio.

DECORACIÓN DEL PAPEL

Hace siglos que los papeles se decoran a mano con la ayuda de diversos métodos tan antiguos como la tradición de decorarlos. Actualmente es posible aplicar todas las técnicas del pasado y conseguir los mismos resultados favorables que se obtenían hace años. Una forma de conocer los diseños antiguos es visitando los museos de artes decorativas, en donde suele exhibirse ese tipo de colecciones, y aprovechar para tomar ideas que puedan ser reproducidas. De todas formas, aunque las técnicas son las tradicionales, no hace falta apegarse al pasado o a lo exótico para localizar motivos interesantes, ya que desde los textiles modernos, los tapices para paredes e, incluso, hasta la propia naturaleza, ofrecen tratamientos muy sugerentes. Y, por supuesto, aquí hay un campo inagotable para realizar experimentos, condición que determina el que se puede ser tan extravagante o tan abstracto como se desee.

Resulta muy emocionante acudir a una buena papelería y elegir entre todos los papeles decorados que se venden, particularmente si son hechos a mano y están decorados del mismo modo. Pero todavía es más satisfactorio —y no muy caro— crear uno mismo sus propios diseños, completamente exclusivos. Existen diversas técnicas decorativas que pueden aplicarse para dar vida a interesantes formas, líneas y colores que son fascinantes para la vista. Se puede decorar el papel para crear sobre él una superficie tan agradable que adquiera plena validez en sí mismo y se puede exhibir sobre una pared, quizá dentro de un marco que lo haga resaltar, o puede servir para envolver un regalo. La decoración puede ser también el primer paso en el proceso de crear otro objeto más duradero, como puede ser una pieza de joyería, una caja o una bandeja, una cubierta para un libro y, por qué no, un papel para tapizar una pared.

Los métodos que se describen en las siguientes páginas pretenden ser sólo el punto de arranque de ulteriores experimentos. Tienen muy pocas exigencias en cuanto a utensilios de trabajo y pueden ser aplicados por todo el mundo, aun por personas que no cuenten con ninguna experiencia en este terreno. El éxito en lo referente a la decoración del papel depende principalmente del uso imaginativo que se le dé al color y al diseño. Generalmente, cuanto más simple sea la propuesta, más eficaz será el resultado. No existen reglas precisas, pero sí hay algunos lineamientos generales con los que conviene familiarizarse antes de dar comienzo. Estos aspectos aparecen descritos en las páginas dedicadas a la creación de diseños, con las que empieza la siguiente sección.

Si acaso los primeros intentos de crear diseños parecen un tanto forzados, no hay razón para desanimarse. Muchas personas se sienten torpes al principio y eso tiene un efecto adverso en los resultados. Con el tiempo se irá adquiriendo confianza en uno mismo y se descubrirá la capacidad para crear diseños más espontáneos y naturales.

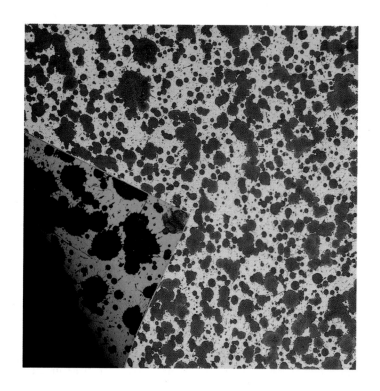

FUNDAMENTOS PARA LA CREACIÓN DE DIBUJOS

Se puede crear un diseño haciendo algunos dibujos, dando una textura determinada a la superficie del papel o por la acción de efectos espontáneos que pueden ocurrir por distintas causas. Al igual que sucede con otros aspectos de la técnica de trabajar el papel, aquí tampoco existen reglas precisas. Una hoja de papel puede presentar un rimbombante diseño producto del azar o, por el contrario, puede exhibir el efecto de un dibujo controlado, basado en la repetición de un motivo.

Entre esos dos extremos, es fácil identificar grados distintos de control.
Los diseños repetitivos son ideales para un papel que vaya a emplearse para cubrir o forrar un objeto. El tamaño de los motivos que se repiten debe guardar proporción con el uso que se pretenda dar al papel.
Existen ciertos fundamentos que se pueden aplicar, los cuales sirven como base para todo tipo de diseños repetitivos. Se puede empezar por practicar en un papel cuadriculado, si es que

Estas sencillas variaciones sobre una gama limitada de temas de creación de dibujos pretenden únicamente hacer las veces de plataforma de lanzamiento para proyectar las ideas de cada individuo. Obsérvese cómo las ligeras irregularidades, inevitables cuando se hace dibujo a mano libre, imprimen un carácter propio a cada diseño.

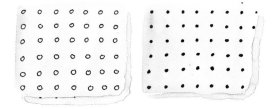

ello facilita el que se adquiera más confianza.
El diseño repetitivo más simple es la cuadrícula, dentro de la cual unos simples puntos —como se muestra aquí arriba— aportan un efecto variado, modificando sencillamente su tamaño y la forma como se dibujan.

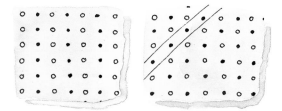

Alternando puntos con círculos, como en el dibujo de arriba, se puede crear un efecto general de franjas o establecer un movimiento en dirección diagonal.

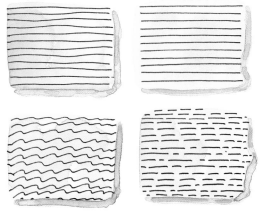

Las líneas, trazadas con ayuda de una regla o a mano libre, ofrecen una amplia variedad de motivos decorativos. Se puede variar el resultado trazando líneas discontinuas o entrecortadas, como se aprecia en el dibujo.

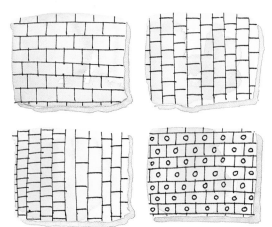

Repetición de estrías, como si se tratara de un muro de ladrillos, que intensifican el movimiento y el atractivo. Las estrías se transforman en una cuadrícula para alojar una serie de motivos sencillos, como los círculos que aparecen en el dibujo de arriba, los cuales no necesitan dibujarse de una forma demasiado intrincada.

El contraste es importante para dar animación a un diseño. El contrapunto puede ser entre grande y pequeño, sólido y lineal, ancho y estrecho, regular e irregular, claro y oscuro, cerrado y abierto, activo y quieto.

El color es, naturalmente, un elemento esencial cuando se trata de decorar el papel, ya que proporciona variedad y atractivo al diseño. Sin embargo, a menos que se tenga una idea muy clara sobre el uso de los colores, es preferible empezar a trabajar con una gama limitada de colorido.
Un solo color sobre distintos papeles coloreados puede dar una variedad muy notable. El color negro sobre papel blanco o el color blanco sobre papel negro producen efectos sorprendentemente diferentes. Cuando se aplican algunas técnicas decorativas, se pueden utilizar distintos colores, uno junto al otro; la mezcla en los puntos en donde se juntan da por resultado otros colores inesperados.
Hay que recordar que, por regla general, un solo color ofrece suficiente variedad de tonos como para que resulte interesante trabajar la gama del oscuro al claro o viceversa. Ésa es una buena razón para limitarse a usar uno, dos o tres tonos.
En ocasiones, sólo hace falta una pequeña cantidad de un color fuerte para animar un fondo que presenta un tono contrastante. Los colores cálidos y soleados hacen resaltar los fríos tonos azules y verdes, y viceversa.

ENGRUDO Y COLOR

Este antiguo método de decorar el papel es realmente sencillo. En primer lugar, se elabora una mezcla de engrudo de harina y pigmento y se extiende sobre la hoja de papel. Después se trabaja con esa mezcla, mientras está húmeda, haciendo dibujos directamente o imprimiendo texturas. La diferencia de espesores produce efectos que resultan asombrosamente tridimensionales. Solamente hace falta un color para crear un diseño interesante, pero también es posible emplear dos o tres colores diferentes. Sin embargo, hay que dar por hecho que los colores se mezclarán entre sí, por lo que si se usan muchos pueden terminar dando un aspecto lodoso.

Los mejores resultados se consiguen con el engrudo hecho a base de harina blanca de trigo y agua, para lo que hacen falta 85 gramos de harina y medio litro de agua fría. Se mezclan hasta formar el engrudo, el cual se deja reposar durante una media hora o más. Después se deja hervir poco a poco, removiendo constantemente. Es preciso usar un cazo de acero inoxidable, o mejor aún, un bol de cristal al baño maría. Este último procedimiento impedirá que el engrudo se queme, aunque es más lento. Por ningún motivo han de usarse cazos de metal ferroso o recipientes esmaltados que tengan defectos en su interior, ya que cualquier partícula de acero puede estropear el papel. El engrudo se cuece durante diez minutos y se deja enfriar antes de emplearlo. Su consistencia debe ser como la de la nata doble (sin montar), o un poco más líquida, si se van a mezclar pinturas en polvo. Si el engrudo está muy espeso, se le agrega agua fría. No debe guardarse el engrudo más de uno o dos días porque puede descomponerse.

Las pinturas que mejor sirven para este tipo de trabajo son las pinturas en polvo, las especiales para carteles y las tintas de impresión solubles en agua. El papel sobre el cual se va a aplicar la mezcla no puede ser demasiado fino porque puede rasgarse a mitad del trabajo. Tampoco debe ser demasiado absorbente ni lustroso. Los papeles ideales son los tipo cartridge o guarro. Se mezcla un color fuerte con un tarro de engrudo hasta ver que el tono es lo suficientemente oscuro, tomando en consideración que los colores se vuelven un poco más pálidos cuando se secan. Hay que hacer pruebas con distintas proporciones de engrudo y color. Los dos métodos básicos de aplicar el color y el diseño en el papel se explican más adelante

(métodos uno y dos). El método tres explica una forma más específica de crear un diseño con la ayuda de un trozo de cartón, en lugar de una esponja o un cepillo; puede utilizarse igualmente cualquier borde puntiagudo, cortado o dentado. Cuando esté seco, el papel, con el dibujo ya plasmado, se enrollará por sí solo y aparecerá rizado en los sitios en los que el engrudo se haya contraído, pero en cuanto se pegue sobre otra superficie, se pondrá bastante plano; y si no, mientras tanto, se puede prensar entre dos tablas, con un objeto pesado encima. Después de decorar un papel, conviene limpiar bien el lugar de trabajo antes de empezar a decorar otro distinto.

Método 1: engrudo sobre papel
Colocar el papel en la mesa de trabajo y poner una línea gruesa de la mezcla (engrudo y color) a lo largo de uno de los lados del papel. Empezando del mismo lado, extender con un cepillo abierto la mezcla de manera uniforme y bastante espesa por toda la superficie.
Con una esponja o un cepillo, puntear regularmente el color. Cuanto más se practique, mejor se podrá regular la presión y la dirección para lograr el efecto deseado. Por fin, se despega el papel y se pone a secar sobre un periódico. El diseño que aparece aquí abajo muestra el efecto típico que se puede lograr con este método.

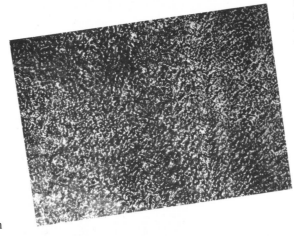

Método 2: papel sobre engrudo
Pegar la superficie del trabajo sobre un espacio mayor que la hoja de papel. Puntear con una esponja o con un cepillo para dar forma al

diseño. Colocar el papel encima y alisar ligeramente por el revés con una gamuza limpia. Después, despegar el papel de la superficie empezando por una esquina. Este método produce una suavidad característica, como se ve en el ejemplo de abajo.
Comparar este método con el de engrudo sobre papel, reflejado en la ilustración anterior.

Método 3: uso de cartón
Se coloca el papel sobre la superficie del trabajo y se extiende el engrudo por toda la superficie (como en el método uno). Se toma una tira de cartón del largo aproximado de un lápiz; el ancho no es determinante, pero puede empezarse con uno de 2,5 cm. El cartón se lleva hacia lo ancho o hacia lo largo del papel en un movimiento de zigzag. Repetir hasta completar el diseño. El ejemplo que aparece abajo fue efectuado con este método.

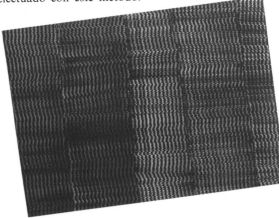

Material:

Engrudo de harina

*Pigmentos solubles en agua, por ejemplo, acuarelas
   y pinturas en polvo*

*Hojas de papel cartridge, guarro o similares
   (especiales para dibujar)*

Cazos para preparar el engrudo

*Tarros y cucharas para mezclar —uno por cada
   color*

Brochas y cepillos caseros para pintar

*Esponjas, trozos de tela, papel enrollado, cartón
   rígido y otros objetos para hacer los diseños*

*Superficie fácil de limpiar, por ejemplo, una
   plancha de formica o un vidrio*

Trozos de tela para limpiar

Periódicos para colocar los papeles a secar

*Tablas para prensar y objetos pesados para
   aplanar los papeles terminados*

*Gracias al método de
engrudo y color se
consiguen diseños muy
atractivos con ayuda de
trozos de cartón, ya sean
rectangulares o cortados
en forma de peine, como
se ilustra arriba a la
derecha. El movimiento del
«peine» en línea ondulada
sin alterar los ángulos
ofrece una interesante
variedad de grosores.
Girando un trozo de
cartón rectangular sobre
un punto central se
produce la forma de una
corbata de pajarita
(arriba izquierda). La
fotografía de la derecha
muestra algunos dibujos
realizados con cartones a
los que se les han dado
distintas formas.*

Existen innumerables posibilidades en la creación de diseños aplicando el método de engrudo y color. Se puede probar desde el movimiento libre de la mano, para dar un efecto de dibujo a pulso o de caligrafía, hasta trazar unas sencillas ondas o unas franjas, usando un peine, o un trozo de cartón con la orilla dentada. También se puede intentar mover ligeramente algún objeto sobre el papel tratado con engrudo y color para crear una imagen fantasmagórica. Otro experimento consiste en sobreimponer dos o tres capas de color, decorando la primera capa y dejándola secar antes de aplicar la siguiente, y así sucesivamente. Igualmente interesante resulta colocar una mascarilla sobre el papel y aplicar la mezcla engrudo-color sobre ella, después despegar la mascarilla para dejar libre el sitio donde se aplicará el segundo color. De esa forma se puede hacer también un marco que rodee los cuatro lados de la hoja de papel.

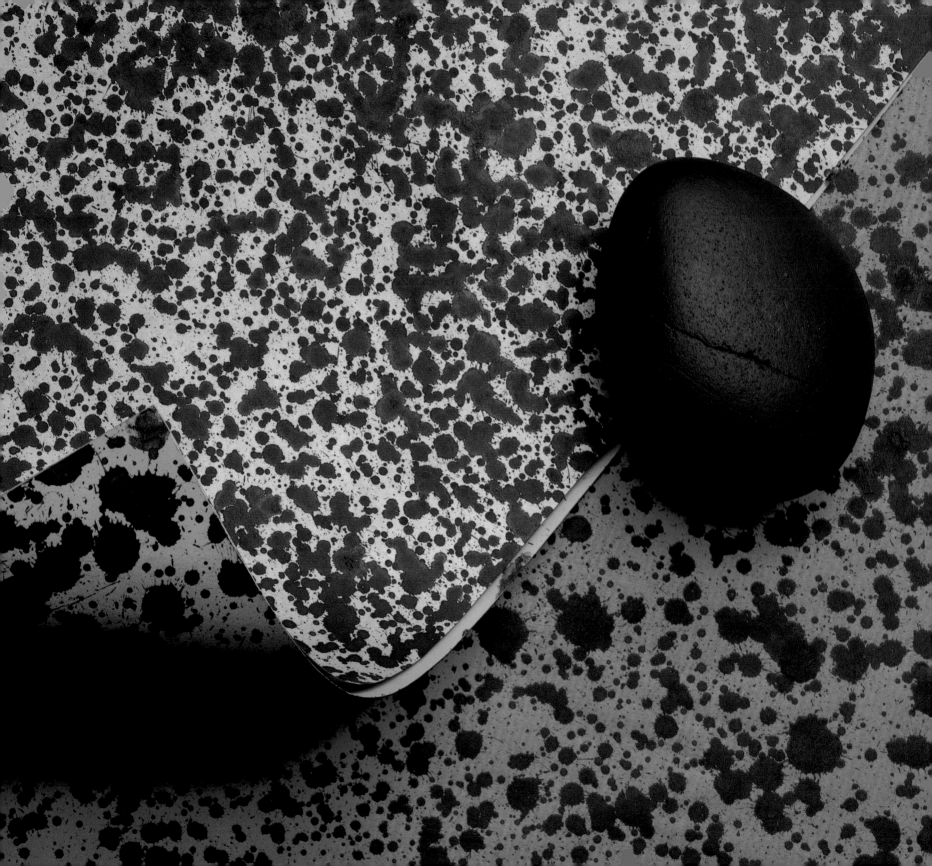

SALPICADO Y PULVERIZADO

Material:

Cepillos viejos (por ejemplo, cepillos de dientes y brochas viejas), o un pulverizador o brocha de aire

Cartón rígido o cuchillo sin filo para usar con los cepillos

Papel cartridge o similar (especial para dibujo)

Cinta para enmascarillar (masking tape)

Líquido enmascarador (opcional)

Tarros para pintura y platos llanos para cepillos o brochas grandes

Caja de cartón grande

Periódicos

El único inconveniente de estos métodos sencillos y rápidos es que pueden llegar a ser demasiado sucios. Por esta razón, son más recomendables los pigmentos lavables y solubles en agua que los tintes para agua fría y las pinturas de aceite. La caja de cartón hace las veces de un práctico escudo protector, ya sea que se coloque el papel dentro mientras se le salpica, o que se corte en pedazos y se cubra con ellos el lugar de trabajo. Las hojas de periódico funcionarán como una protección adicional. Si se va a trabajar a gran escala, es conveniente hacerlo fuera de la casa, en vista de que los colores solubles en agua se pueden lavar con bastante facilidad, además de que no dañan el césped ni las plantas.

Salpicado con brocha rígida

Mojar la punta de las cerdas en la pintura. Hay que tener cuidado de no recoger demasiada pintura de una sola vez porque puede gotear. Sostener la brocha frente a uno de los lados del papel e ir moviéndola por toda la superficie, mientras se golpean firmemente las cerdas con la orilla de un trozo de cartón o de un cuchillo sin filo (hacia uno, para no salpicarse también). Recargar la brocha con pintura las veces que sea necesario. Cuando seque esta primera aplicación, se puede hacer el mismo procedimiento poniendo otro color.

El salpicado vigoroso, con brochas grandes y empleando mucha pintura, produce espacios amplios entre las gotas, creando un diseño espectacular que recuerda el aspecto de los huevos manchados de algunas aves.

Pulverizador

Un pulverizador (como el que aparece en el dibujo de abajo) o una brocha de aire sirven para dar un rocío más fino cuando se busca un efecto de mayor uniformidad.

Se fija el papel sobre una tabla (del tipo de una encimera de formica) con una ligera inclinación. Se carga la brocha de aire o el pulverizador con pinturas que tengan una consistencia semejante a la de la tinta (los grumos pueden obstruir el aparato).

Se rocía el color sobre el papel e inmediatamente se ponen el papel y el soporte en posición horizontal para evitar que se corran las gotas de pintura.

La brocha de aire (o aerógrafo) es un artículo caro, pero permite un mayor control una vez

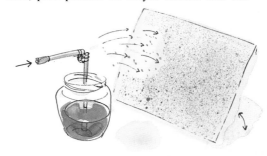

que se domina el arte de manejarlo. Se pueden buscar distintos efectos rociando el papel a diferentes distancias. También se puede ajustar el tamaño del chorro modificando la fuerza que se ejerce sobre el botón que acciona el aparato. Al terminar de usarla es indispensable limpiarla a fondo. Se vacía el depósito, se rellena con agua limpia, se oprime el botón para que el agua salga por la boquilla. Hay que limpiar los restos de pintura de la boquilla y del depósito con la ayuda de una brocha de pelo de cerdo; no hay que utilizar brochas de pelos muy finos porque podrían quedar atrapados en el interior. Por último, se desarma la brocha de aire con mucho cuidado y se limpian los restos de pintura de la varilla central, a la que se le aplica un poco de vaselina, o se pasa por el cabello, para que siga funcionando adecuadamente.

Mascarilla

El enmascarillado de una porción de la superficie de la hoja de papel mientras se salpica la pintura facilita la creación de traslapes de diseños con uno, dos o tres colores.

Se salpica una hoja de papel como se explica en la página anterior. Cuando el color esté seco, se colocan tiras adicionales de papel sobre el diseño. Se salpica el segundo color sobre el primero. Cuando el color esté seco, se quitan las tiras de papel. Las tiras se pueden acomodar en distintas posiciones para crear efectos de distintas alturas. Experimentar con formas rasgadas y con formas cortadas.

Un método alternativo de enmascarillar, el cual da un efecto menos preciso, es aplicar un líquido enmascarador (se vende en los establecimientos de pinturas) sobre el papel cuando la capa de pintura está seca. Después se salpica más color y cuando la segunda capa está seca, se desprende suavemente el enmascarador, el cual también habrá secado. El enmascarador puede arrancar un poco del color cuando se quita, dejando una zona ligeramente más pálida.

El rociado acumulado con el empleo de mascarillas funciona mucho mejor cuando las formas de éstas son muy simples. El papel que aparece a la derecha recibió tres aplicaciones de pintura. Para empezar, se roció pintura rosa sobre toda la superficie de un papel de color negro. Después se acomodaron mascarillas rectangulares en diferentes posiciones para la segunda y la tercera manos de blanco y azul. Las zonas más pálidas recibieron las tres capas de color.

La brocha de aire permite efectos más controlados que un atomizador, pero es necesario practicar con mucha dedicación para conseguir un acabado uniforme. Se puede ajustar la textura del aerosol desde grueso hasta fino. El diseño de tablero que aparece en el extremo derecho se creó doblando el papel en cuadrados y pasando la brocha de aire por cada uno de ellos. Arrugando un papel y rociándolo en forma oblicua desde un extremo se llega a capturar un efecto tridimensional cuando la hoja se vuelve a aplanar, como se demuestra en el ejemplo fotografiado inmediatamente a la derecha. Una alternativa más barata de una brocha de aire o aerógrafo es un equipo de aerosol para modelismo que contenga un bote de aire comprimido.

DIBUJOS CON PANTALLAS Y PINTURAS DE AGUA

Estas técnicas son similares, en cuanto a su efecto final, al estarcido o dibujo con plantillas, aunque el método de trabajo es mucho más libre. Se crean diseños enmascarando partes del papel con cera, líquido enmascarador o pintura blanca para process y pasando el color por la superficie, sin afectar el área enmascarillada. Es preciso usar un papel bastante resistente.

Método con cera

Material:
Vela
Pinturas de agua (acuarelas) o tintas
Cartón, papel o una superficie texturizada para formar el patrón
Cinta para enmascarillar (masking tape)
Brocha grande para pintar y tarros para mezclar
Periódicos para secar

Se coloca el papel sobre una superficie texturizada, o la plantilla de cartón, o papel con formas recortadas o rasgadas. Se fijan con cinta adhesiva. Después se frota la vela con firmeza sobre toda la zona. Se aplica el color de forma uniforme a lo largo del papel. El color no se adhiere en las zonas en donde hay cera, sino solamente en los espacios intermedios. Se formará una imagen negativa del patrón que quedó debajo.

Izquierda: *Dos sencillos dibujos gráficos realizados con el método de líquido enmascarador.*

Método con líquido enmascarador

Material:
Líquido enmascarador
Pluma, tiralíneas o pincel fino de acuarela (de preferencia sintético)
Brocha grande para pintar
Pinturas (iguales a las del método con cera)
Tarros para mezclar pinturas
Trapos para quitar el líquido enmascarador
Periódicos para secar

Dibujar un patrón con líquido enmascarador sobre el papel con ayuda de una pluma, un tiralíneas o un pincel, o simplemente dejándolo caer. Cuando el líquido esté seco, rociar la pintura o aplicarla con la brocha sobre el papel. Cuando la pintura esté seca, frotar suavemente la superficie con un trapo o con la mano, para eliminar la capa elástica delgada de líquido enmascarador. Seguir el mismo procedimiento si se desea aplicar un segundo color.

Este método, y en menor grado el método de pintura blanca para process que se explica a continuación, es particularmente idóneo si se quiere hacer un diseño en el que aparezcan líneas muy finas. Los bordes del dibujo serán más precisos que los que se obtienen con el método de la cera, el cual es más adecuado para crear efectos de mayor suavidad.

Método con pintura blanca para process

Material:
Pintura blanca para process (en tiendas de pinturas)
Pluma o pincel fino para dibujar
Brochas diversas
Tintas impermeables o pinturas al temple (témpera)
Adaptador de regadera o manguera de goma (sirve para el enjuague)
Gamuza suave o esponja
Bandeja o plancha de formica o de vidrio para sostener el papel mientras se lava

Las formas que se obtienen con esta técnica tendrán los bordes ligeramente más suaves que los que se consiguen con el método de líquido enmascador.
Se coloca el papel sobre una bandeja lavable u otra superficie dura y se dibuja un patrón con la pintura blanca de process, con la pluma o el pincel. Cuando la pintura esté absolutamente seca, se aplica el color con la brocha grande sobre toda la superficie.

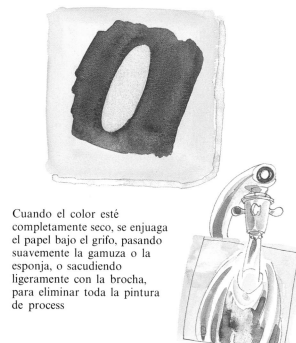

Cuando el color esté completamente seco, se enjuaga el papel bajo el grifo, pasando suavemente la gamuza o la esponja, o sacudiendo ligeramente con la brocha, para eliminar toda la pintura de process

IMPRESIÓN EN RELIEVE

La impresión con bloques es una manera clásica de aplicar un diseño repetitivo. Consiste en que un objeto, cuya superficie ha sido entintada, se presiona con firmeza sobre una hoja de papel para crear una imagen invertida de la forma del objeto o de un diseño determinado. Se puede tallar un molde para darle una forma particular o se pueden utilizar distintos objetos para imprimirlos tal y como son.

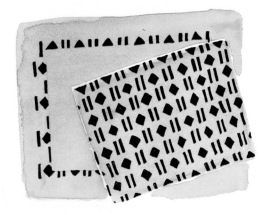

La idea es que el papel ya impreso parezca sacado de otro mayor con el mismo diseño. Un error común entre los principiantes es el de empezar a imprimir dentro de los límites del papel, en lugar de iniciar la impresión desde fuera, para dar la idea de que la hoja ha sido cortada de un pliego de papel de mayor tamaño, como sucede en el ejemplo ilustrado aquí arriba. Es posible que el tipo de bloque de impresión más conocido sea una patata cortada a la mitad. Pero existen muchos otros materiales que pueden desbastarse de un modo igualmente sencillo; algunos de ellos, como la madera y el linóleo requieren herramientas especiales. Las gomas de borrar se desbastan con toda facilidad para formar bloques muy adecuados, aunque las hechas de plástico no absorben muy bien la tinta, a menos que se lije un poco la superficie con una lija muy fina.

Impresión con objetos diversos

Material:
Corchos, botones de madera, hojas de árbol o cualquier otro objeto apropiado
Tintas de agua o de aceite
Trementina o disolvente (para las tintas de aceite)
Espátula, o raspador, o cuchillo flexible de cocina
Rodillos de diferentes anchos
Plancha de formica o de vidrio
Trapos y periódicos
Guantes de goma

Una vez seleccionado el objeto que se desea imprimir, asegurarse de que la superficie que estará en contacto con el papel es lisa. Si el objeto es pequeño, se puede pegar a un taco o a un bloque de madera para manejarlo con facilidad.
Ponerse los guantes de goma antes de empezar a entintar. Aplicar un poco de tinta sobre el platillo en donde ha de prepararse y extenderla con la espátula. Mover el rodillo hacia atrás y hacia adelante en ángulos rectos varias veces para entintarlo de manera uniforme.

Pasar después el rodillo sobre la superficie del objeto que se va a imprimir hasta que también tenga una capa uniforme. Con el bloque en ángulo recto del papel se presiona firme y regularmente hacia abajo. Levantar el molde sin manchar. Si lo que se va a imprimir es una hoja de árbol, se entinta, se coloca sobre el papel y se cubre con un periódico. Se pasa un rodillo limpio y después se quita el periódico y la hoja

de árbol. Cada vez que se repita la operación ha de usarse un periódico limpio. Otra forma es entintar varias hojas de árbol para componer el diseño y pasar el rodillo encima de ellas de una sola vez. Las tintas de aceite son mejores cuando se trata de entintar varios bloques, ya que las de agua se secan demasiado rápidamente.

Impresión con gomas de borrar

Material:
Bloque hecho con goma de borrar
Cuchilla afilada o escalpelo
Lápiz blando
Tintas solubles en agua o en aceite
Trementina o disolvente
Espátula o cuchillo de cocina
Superficie de apoyo para cortar
Rodillos de diferentes anchos
Trapos y periódicos
Guantes de goma

Se hace un dibujo sencillo sobre la goma de borrar con un lápiz blando. Sobre la superficie de apoyo se recorta el dibujo de la goma inclinando la cuchilla de manera que los contornos del dibujo queden rebajados en desnivel, lo que confiere una mayor fuerza al bloque. No es necesario cortar muy profundamente, sino sólo lo suficiente como para evitar que la tinta toque lo que no se va a imprimir. Tampoco hay que hacer las líneas de corte demasiado cercanas porque el dibujo podría desmoronarse. Cuando el dibujo parezca satisfactorio, se entinta y se imprime como se señaló anteriormente.

Derecha: La impresión con bloques puede ser muy variada. En el centro aparece un papel negro rociado con tinta blanca y posteriormente impreso en azul y negro empleando bloques de madera. Los papeles que se muestran en primer término y al final se imprimieron con trozos de cartón recortados y pegados sobre otro papel a manera de bloque. Detrás del papel con las medias lunas, se aprecia otro que se imprimió con una hoja a la que se le pegaron tiras de papel retorcidas.

MONOTIPO

Material:
*Lápices, agujas de tejer o cualquier otro objeto
    para hacer trazos decorativos*
Tintas para impresión (de preferencia de aceite)
*Trementina o disolvente (para las tintas de
    aceite)*
Hoja de vidrio
Espátulas
Rodillos y platillo para entintar (método directo)
Trapos y periódicos
Guantes de goma

Ésta es una técnica muy sencilla para hacer impresiones una por una, pero adquiriendo suficiente práctica se puede llegar a repetir los diseños. La calidad puede ser comparable a la de los métodos de engrudo y color, aunque el efecto de tres dimensiones sea menor.

El procedimiento es el siguiente: en primer lugar se entinta completamente el vidrio usando la espátula y el rodillo.

Inicialmente conviene usar un solo color y más tarde se puede intentar combinar trozos de diferentes colores. Se coloca el papel suavemente y sin presionar para que haga contacto con la tinta.

Con la ayuda del objeto elegido para trazar, se hacen los dibujos o se presiona el diseño por el reverso de la hoja y, si se quiere, se trazan líneas de distintos anchos y se ejercen distintos grados de presión sobre el papel. Después se despega el

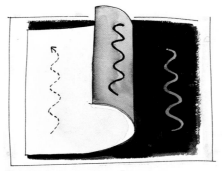

papel. Las líneas tendrán un aspecto suavizado, como si hubieran sido hechas con un lápiz de cera suave. La textura del fondo aparecerá agradablemente manchada.

Existe una forma alternativa de imprimir con monotipo, por la cual el diseño se dibuja

directamente sobre el vidrio, en lugar de sobre el papel. Si se pinta sobre el vidrio con una tinta diluida, ya sea de aceite o de agua, el efecto será

más fluido y probablemente algo difuso hacia las orillas. Se entinta el vidrio y se trabaja sobre la tinta como si fuera una mezcla de engrudo y color (ver página 66). Después se coloca el papel sobre el vidrio. Se alisa por encima con un rodillo limpio y, por último, se despega el papel.

Página de enfrente: *Mosaico de dibujos realizado con el método de monotipo. El vidrio se cubrió con tinta negra y los diseños se trazaron con tiras de cartón y objetos puntiagudos, entre ellos, bolígrafos usados. Los efectos de las manchitas se formaron eliminando la tinta de algunas zonas del vidrio y poniendo gotas de tinta formando un patrón. Sólo se dejó sin dibujar el cuadrado de la esquina inferior derecha; en este caso, se hicieron algunas marcas en forma de garabatos presionando ligeramente un objeto despuntado sobre la superficie cuando el papel ya estaba colocado sobre el vidrio. Por último, se pasó un rodillo por todo el papel. Con el método de monotipo se puede alterar la intensidad del color transferido modificando la presión que se ejerce sobre el papel.*

JASPEADO

El jaspeado es una técnica para decorar el papel usando colores que flotan sobre un líquido. Los dibujos que se forman de esa manera se transfieren posteriormente a una hoja de papel. Muchos de los dibujos que se producen con relativa simplicidad tienen un aspecto ondulado y veteado que los asemeja al mármol. El origen de esta técnica no ha sido precisado con certeza, pero sin duda debe localizarse en algún lugar de Oriente. En épocas pasadas, posiblemente tan tempranas como el siglo VIII, los japoneses escribían sobre papeles que lucían un delicado jaspeado en una parte de su superficie. El jaspeado era muy popular en Persia y en Turquía, en donde aparece como motivo decorativo en miniaturas y en manuscritos caligrafiados del siglo XVI. Los papeles jaspeados se utilizaban también para forrar cajas que llegaron a conocerse en Europa. Hacia el siglo XVII, el llamado «trabajo holandés» se embarcaba a Inglaterra a manera de envoltura de objetos pequeños como juguetes, como parte de un ardid para evadir los altos derechos arancelarios a que estaban sujetos los papeles importados. A su llegada, los papeles se retiraban cuidadosamente y de ese mismo modo eran alisados y reparados para ser puestos a la venta, especialmente entre los encuadernadores.

El proceso para decorar el papel jaspeado se mantuvo durante mucho tiempo como un secreto guardado celosamente. Incluso a los aprendices se les enseñaba sólo algunos de los pasos para realizar esa técnica y nunca el procedimiento en su totalidad. Actualmente subsiste aún un cierto recelo para divulgar todos los secretos de las técnicas más complejas del jaspeado. No obstante, existen diversos sistemas básicos que pueden dominarse con relativa facilidad, además de que el terreno es muy amplio para dar cabida a la experimentación. La forma más sencilla de jaspear el papel es aprovechar la reacción que presentan el aceite y el agua entre sí, ya que no se mezclan. Cualquiera de los métodos que se basan en el empleo de pinturas de aceite es virtualmente infalible, lo que los hace excelentes, en particular para los principiantes. Los distintos tipos y densidades de apresto (es decir, el líquido sobre el que se asienta el color) y los diferentes espesores y combinaciones de colores habrán de producir variados e interesantes resultados.

El método de jaspeado clásico, también descrito en las siguientes páginas, es un poco más complejo, pero aún así está al alcance de muchos principiantes. La técnica comprende pinturas de agua que flotan sobre una cola gelatinosa hecha de musgo perlado o de Irlanda (*Chondrus crispus*), conocido también como carragaen o coralina. Se añade ox-gall (hiel de buey) a los colores para hacer que se esparzan y evitar que se hundan. Cuando se levanta el papel y se separa de la mezcla de musgo quedan pegadas algunas gotas de cola. Éstas deben lavarse, pero eso sólo se puede hacer si antes se ha dado al papel un tratamiento con una solución de alumbre, para impedir que los colores se laven junto con la cola.

JASPEADO SENCILLO

Material:

Recipiente para contener el agua: por ejemplo, una cubeta de fotógrafo o una palangana
Jarras pequeñas o tarros para mezclar los colores
Agujas, palos pequeños (por ejemplo, agitadores de bebidas), pinceles o pajitas para beber (para manipular los colores)
Pipeta o cuentagotas
Muchos periódicos o un tendedero bajo techo
Pinturas de aceite
Trementina o disolvente

Se pueden crear muchos diseños bellísimos simplemente haciendo flotar los colores en el agua, sin necesidad de preparar un apresto especial. Éste es el método de jaspeado más fácil de todos. Todas las pinturas deben mezclarse con disolvente o con trementina hasta que se separen fácilmente del pincel, pero sin estar demasiado líquidas. Mezclar todos los colores hasta tener más o menos la misma consistencia. El papel que se va a emplear debe recortarse hasta un tamaño un poco menor que la tina. En este caso sirve cualquier color de papel tipo cartridge o especial para dibujar, aunque es mejor empezar con el blanco, para apreciar con facilidad los diseños que se vayan haciendo. Se llena el recipiente con agua hasta una profundidad de unos 7,5 a 10 cm. Se sacuden unas gotas de color sobre el agua con un pincel y se distribuyen de modo uniforme, o se esparcen sobre la superficie del agua con una pipeta. Las gotas deben extenderse hasta tener un diámetro entre 2,5 y 5 cm. Si no sucede así, significa que la pintura está muy espesa, entonces hay que añadirle más disolvente o trementina. Si las gotas se extienden rápidamente y se rompen, quiere decir que la pintura está demasiado delgada y hay que agregar más pintura. Si las gotas se expanden ligeramente y después se encogen, puede ser que el agua esté demasiado caliente y hay que mezclarla con agua fría. Después de aplicar las pinturas, el siguiente paso es formar el dibujo. No hay que intentar hacerlo demasiado ordenado o regular. Un método es soplar ligeramente sobre las pinturas que están en la superficie del agua con ayuda de una pajita para beber. Otra forma es hacer remolinos con una aguja, un palo delgado o el cabo de un pincel pequeño. Si los colores se hunden un poco mientras se agitan vigorosamente, volverán

a flotar al poco tiempo. Sin embargo, cuanto más se revuelvan, más se mezclarán los colores y quizá hasta lleguen a volverse pastosos. Cuanto más delgada sea la pintura, esto sucederá más rápidamente.
El método básico para transferir los diseños a la hoja de papel es muy simple. Se aplica a cualquier forma de jaspeado que se vaya a realizar, desde este método infalible para principiantes, hasta las técnicas más avanzadas que se describen en las siguientes páginas. Sujetar dos esquinas de la hoja opuestas diagonalmente, flexionándolas ligeramente hacia el centro del papel para formar una curva muy suave (ver el diagrama en la página 87). Bajar con cuidado la curva hacia el centro del agua y empujar ligeramente hacia abajo y hacia las orillas hasta que la hoja de papel esté en contacto con el agua.
Cuando se trabaja el jaspeado con formas libres, las burbujas no significan necesariamente un problema, aunque dejarán espacios vacíos en el conjunto del diseño. Si se quiere evitar que eso ocurra, el secreto está en bajar el papel con suma precaución para que no se formen bolsas de aire. Si se ve que aparece alguna, se puede dispersar golpeando con mucha suavidad el papel sobre la superficie del agua.
Se levanta la hoja de la tina. Para secarla, todo lo que hay que hacer es dejarla con el dibujo hacia arriba sobre un montón de periódicos, o colgarla en un tendedero bajo techo.
Después de efectuar una impresión, es posible que hayan quedado residuos de pintura en el agua. Éstos se pueden eliminar pasando una tira de periódico sobre la superficie, hasta que el agua quede limpia. Entonces se puede hacer otro diseño sin necesidad de cambiar el agua. Si se desea, se pueden dejar deliberadamente algunos fragmentos de pintura en el agua y de ese modo incluirlos en el siguiente diseño.

Brocha para goteo, uso y fabricación

Tradicionalmente está hecha de mechones largos de pelo de camello y sirve para recoger una buena cantidad de pintura, la cual se suelta fácilmente en el agua cuando se la golpea. En lugar de la brocha, se puede usar una escobilla de cerdas que se consigue en las tiendas de artículos para cocina. También se puede fabricar un cepillo goteador propio, usando pajitas para beber, de al menos 20 cm de largo, y un poco de cuerda, o gomas elásticas. Se hace un manojo con unas diez pajitas y se atan por la mitad

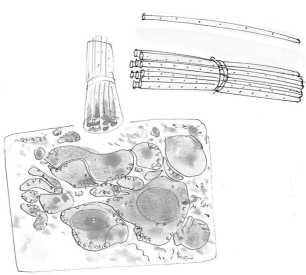

quedando así un cabo de 10 cm y otros 10 cm para trabajar con la pintura.
El cepillo se moja en la pintura y se sostiene encima del agua, mientras se le golpea con los dedos de la otra mano para que salten las gotas de pintura.

Derecha: Una decoración a un solo color sin duda resulta atractiva, especialmente si se realiza sobre un fondo que presente otro color complementario. De todas formas, no hay límite alguno en cuanto al número de colores que es posible aplicar, además de que éstos pueden ser tan suaves o tan brillantes como se desee.

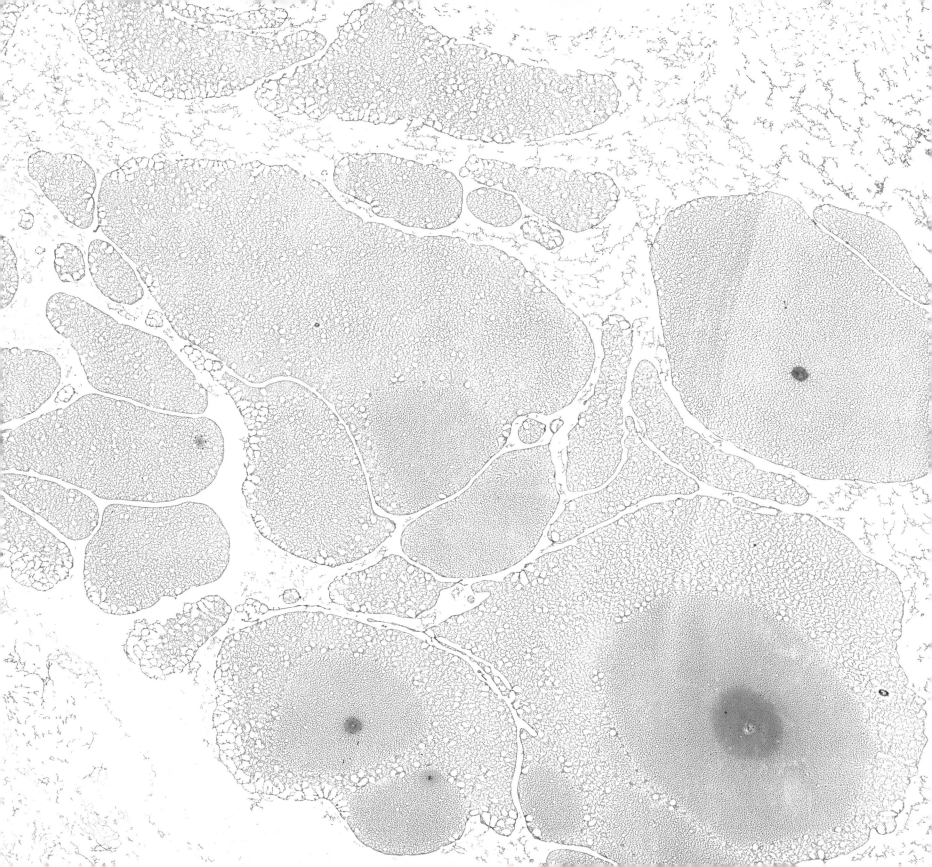

JASPEADO CON APRESTO

Cuando se hace el jaspeado empleando pinturas de aceite y agua, se puede intentar que se forme un diseño particular, pero no es posible controlarlo con precisión. Si se quiere obtener dibujos que obedezcan más a un diseño determinado, será necesario usar como base un apresto espeso, en donde floten las pinturas, en lugar de agua. En este caso, se puede trabajar con más tiempo, con la seguridad de que el diseño no va a cambiar mientras se está preparando la transferencia al papel. Por lo general, cuanto más espeso sea el apresto, los diseños se formarán con mayor regularidad.

El engrudo o apresto para empapelar ofrece una alternativa sencilla y barata al agua que se empleaba anteriormente, aunque existen además muchas otras opciones de sustancias, las cuales se describen con mayor amplitud en los libros especializados en jaspeado.

La receta para preparar el apresto para empapelar es la siguiente:

4 cucharadas grandes colmadas de apresto para
empapelar
5 l de agua a temperatura ambiente

Se mezcla el apresto con un litro de agua y se remueve continuamente durante, al menos, 30 segundos. Se agrega el resto de agua, se revuelve bien y se deja reposar un rato, removiendo cada cierto tiempo para confirmar que el engrudo cuaja de manera uniforme. Es posible usarlo en este estado espeso, como el de una salsa, o adelgazarlo para realizar diseños más sueltos. No obstante, si se adelgaza demasiado, el apresto se comportará exactamente como si fuera agua.

El procedimiento de jaspeado en sí es básicamente el mismo que el método infalible para principiantes, a excepción de que hará falta enjuagar cualquier residuo de apresto del papel ya jaspeado antes de colgarlo a secar. Hay que tener presente que se debe distribuir la pintura de modo uniforme sobre el apresto si se quiere conseguir un diseño regular.

Una vez que se domine la técnica básica se puede experimentar para ver los diferentes efectos que se pueden crear. Por ejemplo, se puede hacer una mezcla de pinturas espesas y delgadas.

Material:
Apresto o engrudo para empapelar
Cazo para mezclar y cubo para elaborar el
* apresto*
Recipiente, como tina o cubeta para fotografía
Jarras pequeñas o tarros para mezclar los colores
Agujas, palos pequeños, pinceles o pajitas para
* beber, para manipular los colores*
Pipeta o cuentagotas
Muchos periódicos o un tendedero bajo techo
Tiras de periódico cortadas a un tamaño
* aproximado de 7,5 cm para limpiar la superficie*
* del apresto*
Plancha de formica, o similar, para apoyar el
* papel mientras se lava*
Adaptador de regadera o esponja
Pinturas de aceite de colores surtidos
Trementina o disolvente

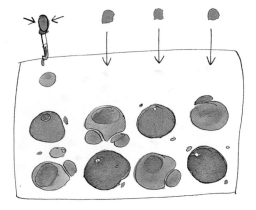

1 *Después de elaborar el apresto y mezclar los colores, se aplican gotas de pintura en un diseño terminado con una pipeta o con un cepillo. Si el color se extiende y después se encoge sobre la superficie, es que el agua está demasiado caliente o demasiado fría; la experiencia permitirá juzgar cuál de las dos. El problema se resuelve revolviendo un poco de agua fría o caliente, según sea el caso. Si la pintura se hunde, el apresto puede estar demasiado espeso: añadir más agua.*

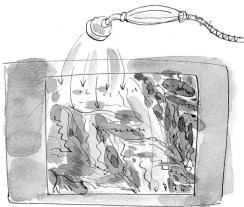

5a *Colocar la hoja, con el diseño hacia arriba, sobre una plancha de formica o sobre cualquier otro soporte rígido y lavar abundantemente con ayuda de un adaptador de regadera, para eliminar cualquier residuo de apresto.*

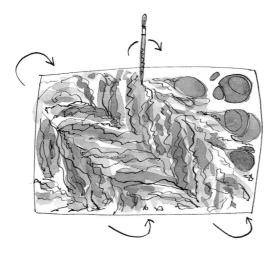

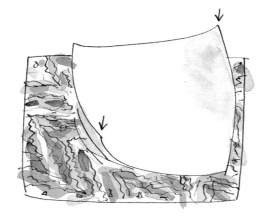

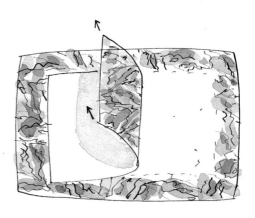

2 *Manipular los colores con una aguja o palo delgado, o soplando a través de una pajita. Si se están usando dos o más colores, recordar que si se les revuelve demasiado comenzarán a mezclarse y se volverán pastosos, especialmente si las pinturas se han adelgazado mucho.*

3 *Una vez que se ha conseguido el diseño deseado, se baja el papel con cuidado para que no quede atrapada ninguna burbuja de aire en la parte de abajo. Sujetar dos esquinas de la hoja opuestas diagonalmente, flexionándolas ligeramente hacia el centro del papel para formar una curva muy suave. Bajar con cuidado la curva hacia el centro del agua y empujar las esquinas ligeramente hacia abajo. En efecto, casi hay que enrollar el papel hacia afuera y no dejarlo caer sobre el apresto, puesto que se forman burbujas de aire.*

4 *Sacar la hoja fuera de la tina, con un movimiento suave de despegar, y sujetándola por las orillas.*

5b *Otra manera de aclarar es colocando la plancha de formica sobre el chorro de agua y pasar la esponja por el papel con cuidado de no levantar el diseño.*

6 *Secar el papel, ya sea dejando la hoja de papel (con el diseño hacia arriba) sobre un montón de periódicos o colgándolo en un tendedero bajo techo.*

7 *Después de realizar una impresión, es posible que hayan quedado residuos de pintura en el apresto. La tina se preparará para volver a utilizarla quitando la pintura con una tira de periódico que se pasa a todo lo ancho del recipiente. Entonces ya se puede realizar otro diseño sobre el apresto, el cual es importante mantener limpio, pues de otra forma los siguientes colores no se esparcirán correctamente. Hay que cubrirlo cuando no se use para que no se acumule el polvo en la superficie.*

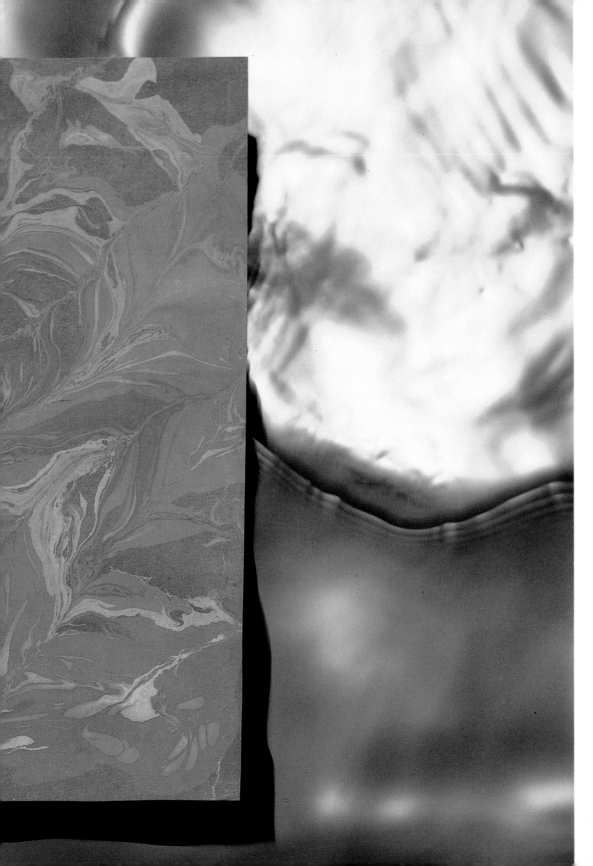

El engrudo para empapelar constituye un apresto
excelente y nada caro sobre el cual se crean diseños
jaspeados fluidos que no son completamente obra de la
casualidad. La difusión de los colores no llega a ser tan
amplia como para distorsionar el diseño básico. En este
ejemplo, los colores gris y verde se dirigieron
suavemente, con la ayuda de un cabo de pincel, para
crear un diseño entrelazado.

JASPEADO CLÁSICO

Uno de los estilos tradicionales más conocidos de jaspeado es un diseño reiterativo de delicados efectos ondulados. Para copiar esta forma clásica será preciso emplear colores, acuarelas o gouache ya preparados para jaspear, sobre un apresto de carragaen o musgo de Irlanda. Para obtener los mejores resultados es necesario observar unas cuantas reglas sencillas: mantener todo el equipo de jaspear limpio; preparar el apresto con cuidado; probar los colores con tiempo suficiente y mantener todo a temperatura ambiente. Este último aspecto es fundamental. Como mejor funciona el apresto es a una temperatura entre 15 y 18° C; 10° C sería demasiado frío y 21° C, demasiado caliente.

El musgo de Irlanda o carragaen se vende seco o en polvo. En las tiendas de materiales para artistas lo venden en polvo; la receta para prepararlo como apresto aparece en la página 86. Sin embargo, quizá sea más fácil comprarlo seco en los herbolarios o en tiendas de comida naturista. Existen dos recetas diferentes. Se pueden probar ambas para ver cuál resulta más cómoda de preparar.

Si se pretende decorar con jaspeado a mayor escala, se puede agregar formalina (formaldehído) al apresto, con lo que se conservará alrededor de una semana, siempre que se guarde en un lugar fresco. Sólo hacen falta unas cuantas gotas por cada medio litro de apresto fresco. Nunca hay que poner el conservante en el apresto caliente, ya que los vapores son tóxicos.

Método 1

71 gramos de carragaen —musgo perlado, coralina o musgo de Irlanda— (Chondrus crispus) seco 5,7 litros de agua

Se mezcla el musgo de Irlanda con 4,5 litros de agua en un cazo grande. Se pone a calentar al fuego durante unos 10 minutos, removiendo la mezcla cuando hierva. Se retira del fuego y se le agrega agua fría. Cuando el líquido haya enfriado, se cuela por un tamiz para quitar los residuos del carragaen. Se deja reposar el apresto al menos 24 horas hasta que esté ligeramente gelatinoso. Entonces ya se hallará listo para usarse, aunque puede resultar más fácil trabajar con él añadiéndole más agua.

Método 2

57 gramos de musgo de Irlanda o carragaen seco 4,5 litros de agua

Se pone el musgo de Irlanda en un cazo grande con la mitad de agua y se deja hervir a fuego lento. Esto llevará aproximadamente una hora. Se deja hervir tres minutos, removiendo continuamente. Se retira del fuego y se le añade el resto del agua. Se deja reposar toda la noche o más tiempo. Se filtra a través de un tamiz. El apresto queda ya listo para usarse. Debe sentirse gelatinoso, pero todavía líquido. La mezcla debe de ser de un color ámbar claro.

Las pinturas para jaspear deben estar finamente molidas, si no podrían hundirse en el apresto. Las más confiables son las pinturas preparadas en forma líquida. Sin embargo, si no se pueden conseguir, las pinturas de agua (acuarelas) o el gouache son buenas alternativas.

Antes de jaspear es preciso tratar el papel con un mordiente, es decir, un producto químico que hace que el papel y la pintura sean receptivos entre sí, además de mejorar la solidez del color. Cualquiera que sea el tipo de colores que se empleen, hay que mezclarlos con ox-gall, lo que evita que los colores se mezclen entre sí, además de reducir la tensión superficial del apresto, con lo que los colores se esparcen de manera más uniforme. El segundo color que se ponga en el apresto requerirá más ox-gall que el primero, el tercero más que el segundo, y así sucesivamente. Al principio es mejor trabajar sólo con dos colores, hasta que se observe su comportamiento. Se prepara el primer color en una proporción de 6 gotas de ox-gall por cada 2 cucharaditas de café de pintura. Siempre hay que probar cada color antes de usarlo. Si la pintura no se extiende, se añade un par de gotas más de ox-gall. Si aún así no se esparce, se añade un poco de agua destilada. (De esta manera las pinturas pueden diluirse hasta dos veces la cantidad original.) Si todo lo anterior no funciona, significa que el apresto puede estar demasiado espeso, en cuyo caso se puede adelgazar con agua. Si los colores atraviesan el apresto, éste es otro indicativo de que el apresto está demasiado espeso, ya que cuando los colores no se esparcen, se hunden. Hay que recordar que la temperatura del apresto puede afectar el comportamiento de las pinturas. Si el apresto está demasiado frío, añadir un poco de agua caliente. Si está muy delgado, y no se quiere agregar más agua, se calienta en un cazo y después se deja enfriar una hora o más. Desnatar el apresto antes de echar los colores. Una vez alcanzado este punto, ya se está en condiciones para proceder a elaborar los diseños, siguiendo las instrucciones de las páginas 92 y 93.

Material:

Recipiente y cubo para mezclar el apresto
Cazo grande y un tamiz fino o una media de
  nylon para preparar y colar el apresto
Recipiente para contener el apresto: una tina o
  cubeta de fotografía es ideal
Jarra para mezclar la solución de alumbre
Jarras pequeñas o tarros para mezclar los colores
Pipeta o cuentagotas
Peines de jaspeado para elaborar los diseños
Periódicos o tendedero bajo techo
Musgo de Irlanda o carragaen seco, en polvo, o en
  extracto. Se puede comprar en las tiendas de
  materiales para artistas, aunque es más barato
  en los herbolarios
Hojas de papel cartridge o de cualquier otro tipo
  especial para dibujo, cortado a un tamaño
  ligeramente menor que la tina o cubeta
Pinturas preparadas para jaspear, acuarelas o
  gouache en presentación de tubo
Cristales de alumbre y ox-gall. Ambos se compran
  en las tiendas de materiales para artistas
Agua destilada
Formalina o formaldehído. Éstos son conservantes
  que sólo servirán si se pretende jaspear muchos
  papeles. Se venden en las droguerías
Bórax. Sólo hace falta si el agua es dura.
  También se encuentra en las droguerías

Construir un peine para jaspeado

Los peines para jaspeado se pueden comprar en las tiendas de materiales para artistas, pero también se puede improvisar uno con un peine normal de cabello al que se le hayan roto algunos dientes. Otra opción es construir uno propio y, en este caso, conviene conseguir varios diferentes para crear diseños variados. Todo lo que hace falta es un poco de cartón, alfileres o agujas y pegamento de contacto.
Se cortan dos trozos de cartón de unos 5 cm de ancho y ligeramente más estrechos que el ancho de la tina que se va a utilizar para el jaspeado. Se marca en cada cartón la posición de cada alfiler, midiendo con cuidado que las separaciones sean regulares. Una medida muy adecuada es de 3 mm entre cada alfiler. Si se busca un efecto menos fino —y para los primeros experimentos— se aumenta el espacio. Se cortan unas muescas lo suficientemente profundas como para incrustar cada alfiler, asegurándose de que todos ellos queden alineados por la parte de la cabeza. Los alfileres deben sobresalir entre 0,5 y 2 cm del cartón.

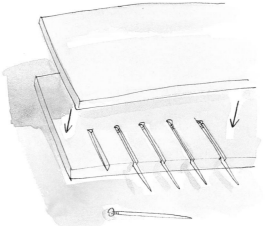

Con los alfileres colocados en cada ranura, se pega el segundo cartón encima del primero y se deja secar el emparedado bajo un objeto pesado. Los jaspeadores experimentados, que buscan realizar diseños lo más regulares posible, confeccionan sus peines con las rebabas que quedan en la orilla de la tina de jaspeado, con lo que consiguen un control uniforme del peine, mientras lo mueven por el apresto.

Mordentado del papel

Para preparar el mordiente, se ponen 42,5 gramos de alumbre en una jarra y se añade medio litro de agua hirviendo. Revolver hasta que los cristales se hayan disuelto. (Otra forma es mezclar el alumbre en agua fría y después hervir la mezcla.) Se deja enfriar. Cuando la

solución esté fría, se pasa con una esponja por toda la superficie que se va a jaspear.
(Marcar el reverso del papel para saber a cuál lado se le ha aplicado el mordiente). Para obtener mejores resultados, realizar el jaspeado cuando el alumbre haya penetrado en el papel, pero que la superficie aún esté húmeda. Si se quiere preparar el papel al mismo tiempo que se prepara el apresto, se pueden guardar todas las hojas ya mordentadas en posición plana, dentro de una bolsa de plástico sellada para que quede hermética y entre dos tablas con un objeto pesado encima. De este modo se conservan húmedas para usarse al día siguiente, aunque no hay que guardarlas más tiempo porque podría salirles moho.

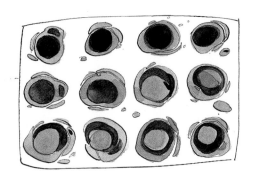

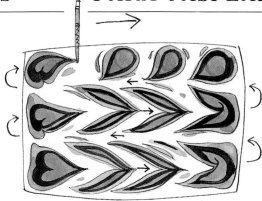

1 *Dejar caer la pintura sobre el apresto formando un diseño ordenado. El segundo color se pone al centro del círculo que ha formado el primer color; el tercero, al centro del círculo del segundo, y así sucesivamente.*

2 *Pasar un objeto puntiagudo (como una aguja o la punta del cabo de un pincel) una vez, atravesando cada hilera de gotas de pintura. Los colores empezarán a formar un dibujo que se mantiene estable y no se esparce como en el jaspeado sobre otros tipos de apresto.*

Variaciones

Para variar los diseños, se puede pasar el peine a través de los colores en diferentes direcciones, como en zigzag o en círculos. También se puede usar un peine cuyos dientes tengan distintas separaciones. Abajo aparece una lista de otras posibilidades para cambiar los diseños. Las pinturas tratadas según los métodos a, b y c deben ponerse hasta el final sobre el baño de apresto en donde hayan estado flotando otros colores «puros» y que, posiblemente, ya hayan sido dibujados.

a. Agregar cantidades muy pequeñas de aceite (de oliva o de otro para cocinar) a los colores antes de aplicarlos, poniendo una sola gota por color y mezclándolo muy bien.
b. Después de realizado el diseño, tomar una brocha o cepillo de goteo cargada con aceite y sacudirlo para que caigan muchas gotas pequeñas sobre el apresto y dejarlas sin tocar en el sitio donde caigan. Esto produce unas interesantes formaciones semejantes a guijarros.
c. De la misma manera, rociar disolvente sin diluir sobre un dibujo ondeado para crear un efecto insólito con líneas y manchas de color.
d. Salpicar una mezcla de ox-gall y agua destilada (cantidades iguales o hasta 1:10) sobre el diseño jaspeado; los colores del apresto empezarán a moverse y a separarse creando zonas abiertas y veteadas.
e. Salpicar el dibujo con un poco de la solución de alumbre excedente, de la que se usó para el mordentado.

3 *Pasar el objeto puntiagudo a través de los colores en ángulo recto respecto al primer movimiento. El resultado es una especie de red de formas semejantes a unas llamas.*

4 *Pasar el peine a través del apresto, ligeramente inclinado en relación a la superficie. Tratar de que los dientes no penetren muy profundamente en el apresto; sólo deben de pasar rasando la superficie. Mantener los movimientos lentos y suaves, pues si se agita el apresto los colores pueden alterarse.*

Derecha: *Ejemplo de un jaspeado con peine usando tres tintas diferentes sobre un apresto con musgo de Irlanda o carragaen. El blanco del papel que se asoma es parte integral del diseño, y forma un contraste interesante con el color*

PAPEL EN TRES DIMENSIONES

A pesar de que con demasiada frecuencia se considera frágil y susceptible de ser desechado, el papel puede, de hecho, ser empleado para crear o adornar objetos cuya belleza es perdurable.

Muchos de esos objetos, como los marcos que se muestran en las páginas 126 a 129 y la cubierta de mesa de las páginas 130-131, tienen un uso universal dentro de casa. Otros, como la joyería que aparece en las páginas 116 a 119, pueden considerarse simplemente ornamentales. Sin embargo, cuando se empiece a experimentar con los trabajos en tres dimensiones y se descubra su potencial inagotable, la distinción entre lo funcional y lo decorativo probablemente se vuelva irrelevante. Una caja de cartón cubierta con un papel decorado podrá ser valorada tanto por su aspecto, como por su utilidad. Y un soberbio fragmento de papel jaspeado dentro de su propio marco de papel haciendo juego llegará a parecer ineludible y esencial cuando se encuentre el lugar preciso en un muro, en donde se pueda exhibir para su total lucimiento.

De todos los medios, el papel es tal vez el más susceptible de engañar al ojo. Dependiendo de cómo esté decorado y las formas en las que esté modelado, puede hacer destacar la fascinante complejidad de la marquetería, la fría tersura del mármol, el veteado de la madera. Se puede conseguir que unos pendientes, broches y otras piezas de joyería hechas de papel parezcan de metal lacado, como se demuestra en la fotografía de la derecha. Esta cualidad camaleónica, que tan fácilmente se transforma en una ventaja, es uno de los grandes placeres de trabajar con papel en los proyectos de objetos tridimensionales.

Naturalmente que el papel es también una forma de disfrazar, apreciada desde siempre, y ése es otro de sus atractivos. Gracias a una cubierta de un papel bellamente decorado, ya sea comercialmente o en casa, se puede transformar rápidamente un objeto cansado y deslucido, como una vieja bandeja de madera, en algo que embellece el hogar o que se puede regalar como un objeto muy especial.

Los trabajos que se presentan en las siguientes páginas solamente apuntan el máximo potencial del papel. Los únicos límites son los de la imaginación de cada persona. No obstante, existen ciertas técnicas que hay que aprender, particularmente en lo que se refiere a elegir y a aplicar los pegamentos. A veces es necesario efectuar mediciones muy precisas. Siempre es mejor aprender y practicar estas técnicas antes de emprender un trabajo demasiado ambicioso. En la medida en que se progrese, se irá extendiendo de manera inevitable la comprensión del papel y se irán ideando métodos propios para conseguir los efectos que se pretenden lograr.

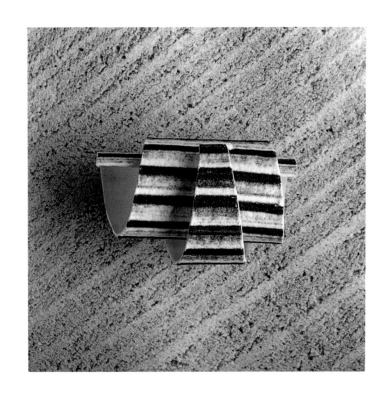

PREPARATIVOS

Antes de explorar las posibilidades que ofrece el papel como un medio para confeccionar o forrar objetos tridimensionales, existen ciertas técnicas básicas para cortar, pegar y medir que es necesario adquirir. Estas técnicas, que contribuirán a lograr acabados con aspecto profesional, son muy fáciles de aprender y son simplemente asunto de paciencia, precisión y conocimiento del comportamiento del papel en diferentes situaciones.

Algunos de los proyectos que se describen en las páginas siguientes dependen del uso del cartón para dotarlos de resistencia y rigidez. El millboardŶ, un cartón laminado compacto de alta calidad, es mucho mejor elección que el chipboardŶ o el munting boardŶ que se utilizan para encuadernar, los cuales son bastante blandos y tienden a romperse. La cartulina, más ligera, es muy práctica en los casos en que se requiera mayor flexibilidad. Cuando se necesita de un buen espesor, se pueden sobreponer varias capas de millboardŶ más delgado (por ejemplo 1-1,6 mm) pegándolas, un proceso que se llama laminado. El producto que resulta es mucho más resistente y más rígido que un cartón simple de espesor similar.

Cuando se pegan dos hojas de cartón, se colocan juntas y, presionando desde el centro, se alisan por toda la superficie para eliminar las burbujas de aire. Para evitar que los cartones se deslicen mientras se presionan, se pueden pegar las orillas con trozos muy pequeños de cinta adhesiva, la cual puede retirarse cuando el cartón esté seco, teniendo cuidado de no rasgar la superficie.

Además del cartón, hará falta una colección variada de papeles de distintos gruesos y resistencias.

También es útil saber algo sobre las cualidades de los distintos pegamentos. El pegamento PVA (acetato de polivinilo), que se vende con distintas marcas, proporciona un pegado rápido y sirve para pegar cartón. El engrudo, el cual se retira más fácilmente y con mayor limpieza que otros pegamentos, es bueno para cubrir el cartón con papel. Para prepararlo se mezclan 85 gramos de harina de trigo blanca con medio litro de agua fría y se deja hervir, tal como se explica en la página 66. El alto contenido de humedad del engrudo provoca que las fibras del papel se expandan en el momento de aplicarlo. Cuando se seca, el papel se encoge ligeramente, cubriendo el cartón por completo. El secado tarda un tiempo, lo que permite ajustar la posición del papel si así se desea. Es preciso esperar a que seque por completo antes de continuar con el trabajo. Se puede comprar una mezcla de engrudo-PVA especialmente formulada con la que el engrudo humedece y penetra las fibras y permite más tiempo para desarrollar el trabajo, en tanto que el PVA proporciona mayor fuerza adherente y plasticidad al papel.

Para forrar el cartón con papel, hay que emplear una mezcla de engrudo-PVA y aplicarla al papel, al cual se debe de dejar «reposar» antes de colocarlo sobre el cartón. Cuando se utilice solamente el pegamento PVA, siempre hay que aplicarlo al *cartón* y no al papel. El pegamento o el engrudo se aplican del centro hacia afuera, como se muestra en el diagrama (arriba). Esto impide que el pegamento sea empujado bajo las orillas del papel. Después, con la brocha en posición vertical, se puntea por toda la superficie para lograr una distribución uniforme del pegamento (abajo derecha).

Cuando se aplique el adhesivo, hay que recordar que la superficie tratada se expandirá al principio y después se contraerá mientras se esté secando, con lo que obligará al otro papel a curvarse. Un papel muy delgado puede llegar a deformar notablemente un cartón grueso. En

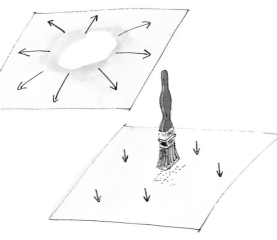

algunos trabajos, como en el caso de los pendientes que aparecen en la página 116, se puede aprovechar esta tendencia del papel. Pero si lo que se quiere es contrarrestar la deformación, se puede hacer pegando una tercera hoja de papel al reverso de la hoja que no recibe el pegamento directamente. En otras palabras, el propósito es hacer un emparedado, ya sea de cartón-papel o de tres hojas de papel. Para que esta técnica de emparedar sea eficaz, hay que cerciorarse de que las dos piezas externas tengan un peso similar. Recuérdese que cuanto más delgado sea un papel, mayor será el estiramiento y el encogimiento.

En la medida de lo posible, hay que tratar de hacer coincidir la dirección del grano del cartón y del papel que se estén pegando, pues de otro modo es probable que la estructura se llegue a torcer. El papel resultará afectado por la temperatura y la humedad próximas. No hay que extrañarse si en una habitación cálida y seca se riza y se deforma. Por lo general, se puede volver a darle su forma llevándolo a una atmósfera más húmeda y aplicando una ligera presión bajo un objeto pesado.

Cuando se cubra un objeto con papel, existen dos métodos para unir los lados y crear así una superficie continua. Se puede traslapar (superponer) o unir los extremos; ambas técnicas aparecen ilustradas en la parte superior de la siguiente columna. La ventaja de unir los extremos es que se obtiene una superficie plana y suave, pero como el papel se hincha cuando está mojado y encoge cuando seca, puede llegar a aparecer una grieta en medio de los extremos. Las orillas rectas se pueden unir de ese modo sin dificultad, pero en las formas curvas será más complicado, por lo que siempre es mejor traslapar. En una superficie plana, como la de una bandeja, las arrugas de traslape sufrirán mayor desgaste —y hasta roturas— que las esquinas unidas de la otra manera.

Cuando se juntan dos trozos de papel, o se engoman dos extremos de un mismo trozo, hay que evitar que se filtre el exceso de pegamento y se manche el trabajo, por lo que puede ser buena idea hacer un protector sencillo, como el que aparece en el diagrama de abajo. Sencillamente se toma una hoja de papel y se dobla a la mitad, en forma diagonal, para evitar que se levante. Se marca la orilla de la zona que se quiere pegar con una serie de alfilerazos. Se coloca el borde doblado a un lado de la zona que se va a engomar, alineándola con las marcas del alfiler. Después se aplica el pegamento, pasando la brocha con una serie de movimientos

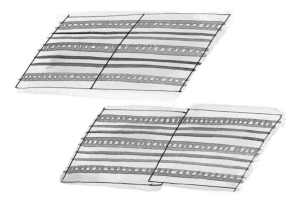

en una sola dirección sobre el protector y sobre la zona a engomar, como se muestra aquí abajo. Los restos de pegamento se limpian con un algodón o trapo húmedos y con algún papel, de preferencia blanco y que no esté impreso. Se pueden utilizar objetos pesados para prensar un trabajo que requiera un pegado homogéneo. Hay que recordar poner alguna protección impermeable entre el papel y las tablas para prensar. También se pueden usar abrazaderas en forma de C, en lugar de objetos pesados, para mantener unidas las tablas y, si se hace así, hay que poner cartón grueso para proteger las tablas y que no queden marcadas por la presión.

Cortar

La habilidad de cortar el papel correctamente, como se explica en la página 49, es fundamental cuando se realizan trabajos en tres dimensiones. Es preciso poner especial atención cuando se

formen ángulos de 90°, los cuales deben salir nítidos y exactos. Siempre hay que emplear una regla de metal, o poner una escuadra como guía, así como cortar sobre una superficie especial. Hay que mantener la cuchilla perpendicular a la superficie del papel y a un ángulo que permita un corte suave y ligero. No hay que intentar cortar el cartón de una sola vez; dos o tres pasadas consistentes, hechas con una presión firme y sin forzar, penetran mucho más fácilmente.

Acabados

Muchos objetos hechos o forrados con papel se ven mejor con su terminado mate original, pero otros salen beneficiados cuando se les aplica un acabado translúcido que los protege y les da brillo. Este tipo de acabado es particularmente adecuado para objetos funcionales que tendrán que soportar un deterioro importante. Existen diversos barnices de marcas comerciales que se pueden usar, por ejemplo, la cera microcristalina, el barniz de poliuretano y el barniz especial para proteger las pinturas de agua, aunque algunos de esos acabados pueden resultar demasiado brillantes o demasiado aparentes. Para evitarlo, tal vez sea más práctico usar pegamento PVA adelgazado con agua hasta darle una consistencia lechosa. Se aplica con una brocha, dejándolo secar durante varias horas entre capa y capa, si es que se requiere más de una. Si el objeto va a ser usado con frecuencia se le da un acabado final de pulimento de cera.

La cuestión de la estética

El éxito de los objetos en tres dimensiones con los que se trabaja depende no sólo de la técnica, sino también del juicio artístico. Muchos principiantes suelen pecar por exceso de adornos. Si el papel en sí tiene ya un dibujo complicado, el objeto que se confeccione o se forre con él debe tener la simplicidad de lo clásico. Cuando se tengan varios papeles diferentes a la vista, hay que elegirlos con cuidado. Los papeles ricamente decorados pueden separarse con franjas lisas o complementarse con grandes trozos de papel liso, para que el conjunto no se vuelva demasiado agobiante.

A muchos principiantes les intimida el «diseño», pero esto sólo hay que tomarlo como una parte del proceso de selección y así se convierte en algo más manejable. Claro que es conveniente conocer ejemplos de buen diseño en cualquier terreno, ya sea gráfico o en tres dimensiones, pero siempre hay que conservar las formas y las ideas simples. Es preciso tener en consideración la proporción y el equilibrio, no sólo en las dimensiones globales, sino también cuando se colocan aditamentos, como asas para una caja, o lazos para una carpeta.

Hay que elegir papeles que se complementen entre sí en cuanto a color y a textura, o bien, crear un contraste deliberado. Un pequeño detalle de color contrastante, como el asa o las medias lunas de la tapa de una caja, puede verse muy llamativo.

Lista de herramientas útiles
Cuchilla resistente y escalpelo
Tijeras
Regla de metal
Escuadra de carpintero o de delineante
Superficie para cortar
Brochas surtidas: brochas caseras para pintar, de una o media pulgada, brochas para pegamento, brochas sintéticas para pintores (pequeñas para las superficies reducidas)
Plegadora de hueso
Papel de lija muy fino
Papel encerado o de silicona, o pliego de polietileno, para evitar que el exceso de pegamento se pegue al trabajo durante el prensado
Tablas para prensar y objetos pesados
Planchas de goma espuma o mantas viejas para prensar las zonas texturizadas
Prensa de copia o prensa de encuadernación
Abrazaderas en forma de C y cartón grueso como protección
Algodón y trapos
Papel de desperdicio: blanco y sin imprimir
Acabados diversos
Pegamentos diversos
Punzones y agujas

CAJAS FORRADAS

Material:
Tijeras
Escalpelo o cuchilla afilada
Superficie para cortar
Plegadora de hueso
Pegamento (engrudo o mezcla de engrudo y pegamento PVA)
Pegamento PVA o similar para el acabado (ver página 97)

El objeto más corriente se puede volver atractivo forrándolo con papel para darle un acabado original y divertido. Estas páginas se refieren específicamente a las cajas, pero los métodos aquí descritos se pueden adaptar para forrar una gran variedad de objetos, ya sean cosas viejas y estropeadas que necesitan renovarse u otros objetos que se hayan hecho a mano. Las técnicas tradicionales propias de otras artes decorativas aplicadas pueden servir como motivo de inspiración, por ejemplo, el collage y los mosaicos. Los trozos de papel pueden acomodarse uno al lado del otro sobre una base

Esta caja cuadrada se confeccionó con millboard y posteriormente se decoró cubriéndola de papel jaspeado, mientras que el interior se forró de un color amarillo muy brillante. En la tapa se distingue un asa muy sencilla, confeccionada con papel enrollado.

plana (como en la marquetería) o sobreponerse para crear texturas y dar la sensación de profundidad (como en el bordado).

Casi cualquier objeto hecho de cartón o de madera, ambos porosos, admite muy bien el engrudo. Si la madera se ha secado, se sella con una mezcla de engrudo y pegamento PVA antes de forrarla; de otro modo la madera reseca absorberá el pegamento del papel, con el consiguiente resultado de zonas despegadas y formación de burbujas. Hay que resistir la tentación de forrar latas, ya que generalmente contienen metal ferroso propenso a oxidarse y existe el riesgo de que manchen el papel y pudran sus fibras. El plástico tampoco es un buen material para cubrir, puesto que rechaza la mayoría de los pegamentos.

Cuando se forra una caja por primera vez, posiblemente lo más difícil sea sacar las medidas correctamente y cortar con precisión. Aquí el éxito se relaciona estrechamente con la experiencia. Es preciso practicar las técnicas de medición y cortado que se describen más adelante antes de forrar el primer objeto; con ello se elimina el riesgo de estropear un buen papel o un buen cartón.

Siempre es útil hacer un escalímetro para medir cuál es el tamaño mínimo de papel que se requiere para forrar una caja, así como otros objetos tridimensionales más complejos, como puede ser una bandeja. En realidad, se trata sólo de una regla flexible que se improvisa con una tira larga de papel. Es posible que se necesiten dos de estas reglas, una para el largo y otra para el ancho. Se dobla una de las tiras

alrededor de todas las esquinas y se señalan los dobleces con pequeñas marcas de lápiz o con un alfiler, recordando calcular las vueltas. Después se hace lo mismo para la otra dimensión. Se extienden las tiras sobre el papel que se va a usar para forrar, y entonces se puede ver si alcanza. Si es así, se coloca la caja sobre el papel, usando las tiras para trazar su posición exacta. Dos de las orillas adyacentes del papel deben quedar alineadas con los cabos de las tiras para medir. Las otras orillas del papel tendrán que recortarse lo que haga falta. Las marcas de alfiler o de los dobleces se pasan de las tiras al papel. El papel se pegará sobre la caja con un pegamento de mezcla de engrudo y PVA. Se puede engomar el reverso del papel o mojar el papel con agua y aplicar el engrudo directamente a los lados de la caja, uno por uno. Esto último puede ser más práctico para una superficie mayor, puesto que el pegamento se secará rápidamente sobre el papel. Si se sigue este segundo método, se pega la base, se coloca correctamente sobre el papel y se presiona fuertemente hacia abajo con la mano. Se da vuelta a todo el trabajo y se pone una hoja limpia de papel en la parte de arriba y se alisa firmemente la superficie, desde el centro hacia afuera, para quitar las posibles burbujas. Se regresa a su posición original. Ahora se puede

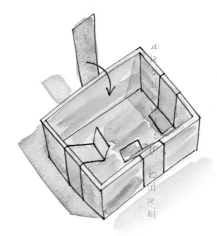

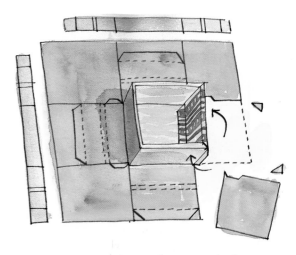

cortar el papel en forma de cruz, según las medidas señaladas en el papel. Se pone una regla sobre las orillas y se corta con una cuchilla afilada. Es recomendable considerar una pequeña pestaña de unos 3 a 4 mm en la orilla de las esquinas para reforzarlas. Para trabajar con un mayor esmero, se suele hacer un inglete en las esquinas (eso significa, cortarlas a 45°), en donde se juntan dos vueltas. Estos ángulos se pueden cortar desde antes o esperar a cortarlos con el escalpelo cuando llegue el momento. Después de cortar, se puede seguir con la operación de pegar. Primero se pegan los lados en donde se ha dejado espacio para las vueltas. Se lleva el papel hacia arriba, alrededor y hacia abajo sobre cada lado, prestando especial atención a las esquinas en donde el aire queda atrapado fácilmente y se forman bolsas de papel suelto. En el interior, se empuja bien el papel hacia las uniones de las esquinas porque puede salirse cuando empiece a secar. En estos casos la plegadora de hueso resulta muy práctica.

El siguiente paso es cubrir el fondo del interior para ocultar las orillas del papel que ya están

pegadas: ver el corte transversal de abajo a la izquierda.
Si no se tiene suficiente papel, o se quiere poner otro que contraste, se puede forrar la superficie interior de la caja con un papel diferente. En

este caso, se deja una ceja de un cm que baje de la vuelta del borde (arriba derecha).

Cuando se forra una caja con tapa de encajar (ilustrada abajo), hay que calcular si una vez puestas las capas de papel sigue cerrando correctamente, ya que el grosor aumenta mucho más cuando se trata de este tipo de tapaderas. Para forrar la caja se sigue el mismo procedimiento. Si hay una media luna en cualquiera de los lados, se puede cubrir con un trozo pequeño de papel antes de forrar los demás. Se corta con cuidado el semicírculo por las orillas para formar una serie de pestañas:

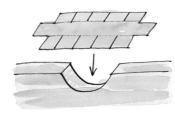

Después se lija y se forra el resto de la tapa dejando que sólo se asome el interior de la media luna. Otra forma de hacerlo es forrar primero la caja y después poner la media luna, dejando las pestañas claramente al descubierto.

Cajas de madera, tan elementales como las de los puros, suelen ser elegantemente proporcionadas y, por consiguiente, idóneas para un tratamiento decorativo muy discreto. Si se desea, se puede limitar el dibujo a la tapa, como en el ejemplo de trabajo jaspeado que aparece abajo. La caja fotografiada arriba muestra un estilo más ro-mántico en el que se utilizó un bonito papel vegetal y un broche decorativo.
Las cajas de puros tienen, con frecuencia, bisagras de papel que se rompen cuando se quita el forro original. Si se quiere, se puede observar antes cómo está hecha la bisagra para reproducirla con otro papel que se elija.

FIGURAS GEOMÉTRICAS FORRADAS

las alfombras) pueden hacer las veces de un atractivo adorno parecido a un florero, o servir como recipientes, especialmente para plumas, tijeras y otros artículos de escritorio.

Un recipiente cilíndrico se forra mejor con un papel que cubra las uniones diagonales que presentan los tubos. Si se ve alguna ondulación, hay que lijarla en seco, antes de aplicar el papel decorado. Hay que cuidar que el grano quede paralelo a lo largo del cilindro. Después de pegar el papel (primero se moja si es excesivamente grueso), las vueltas de la boca son fáciles de hacer. Se dobla el papel sobre el borde hacia adentro con una pestaña de aproximadamente un cm. Se moldea aplanándolo con una plegadora de hueso, o se cortan unos cuantos trozos delgados en forma de V. Para hacer la base, se toma el papel y se le marcan unas muescas; después se dobla hacia adentro y se le pega un disco de cartón que se habrá cortado al tamaño de la circunferencia del tubo.

Se puede forrar la superficie interior del disco antes de pegarlo al cilindro. Para terminar el recipiente se puede hacer una tapa muy sencilla. Se pegan entre sí varias capas de cartón cortadas al tamaño de la circunferencia exterior del tubo y después se le agregan varias capas cortadas para ajustar con la circunferencia interior.

Hay muchos objetos que se pueden forrar con papel para convertirlos en atractivos ornamentos de mesa o para colocar en una repisa presentándolos ya sea solos, por parejas, o en grupo. Las formas geométricas simples suelen ser muy llamativas.

Las pirámides ornamentales quedan muy bien doblando una hoja de cartón laminado con papel decorativo. Primero se corta la forma del paralelogramo en cartón, basado en tres triángulos equiláteros, como se muestra aquí, pero sin las tres pestañas. Después se pega una hoja de papel sobre el cartón y se corta dándole la misma forma, pero esta vez sí se le dejan las pestañas. Si las pestañas sólo son de papel, y no de papel y cartón, se reduce el grosor y el resultado es más estilizado.

Los tubos de cartón forrados (como los rollos de

Pirámides como éstas se pueden usar a manera de pisapapeles llenándolas de algún material como grava o judías secas.

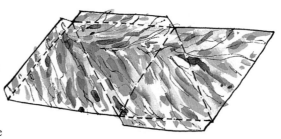

La tapa debe ajustar perfectamente. Recordar tomar en cuenta el grosor adicional del papel. El asa para quitar y poner la tapa se puede hacer pegando un poco de papel doblado o enrollado de distintas maneras.

Un conjunto de cilindros unidos formando un racimo, como el que aparece aquí, adquiere la fuerza del grupo, una característica adicional a la belleza del objeto decorativo. En un caso como éste, en el que todos los cilindros son de la misma altura, se puede hacer fácilmente una tapa múltiple con un trozo de cartón. Aquí, los tubos se forraron primero con papel negro, el cual se cubrió con una mezcla de engrudo y pegamento PVA y una capa de papel de seda, que se agregó para producir un delicado efecto arrugado.

PANTALLAS PARA LÁMPARAS

El papel se ha utilizado desde hace mucho tiempo para confeccionar un sinfín de estilos diferentes de pantallas para lámparas. Ahora que ya es posible comprar bombillas eléctricas que emiten poco calor, las posibilidades creativas son mayores que nunca.

El papel a emplear depende del camino que se vaya a tomar. Los japoneses, por ejemplo, tradicionalmente usan sus finos y resistentes papeles tensados sobre bastidores de madera, mientras que en Occidente, por lo general, se ve el papel plisado y montado sobre aros de metal. Sin embargo, probablemente haya mucha mayor satisfacción en utilizar el papel sin necesidad de servirse de un bastidor independiente y, en cambio, confiar en los distintos métodos que existen para dar resistencia y construcción al papel en sí. Se puede controlar la calidad de la luz que transmite una lámpara según el papel que se elija para confeccionar la pantalla.

Algunos papeles blancos se ven sorprendentemente cremosos con una fuente de luz brillando a través de ellos. Los papeles mecánicos son recomendables para empezar a practicar, pero los papeles hechos a mano siempre serán preferibles para una pantalla que se verá tan atractiva de día como de noche.

Material:
Papel-blanco, en su mayor parte del grueso del papel tipo cartridge (aunque los más delgados también tienen aplicación)
Cartulina para aumentar la rigidez
Pegamentos: PVA, mezcla engrudo-PVA. Usar engrudo de almidón para laminar el papel japonés delgado
Superficie para cortar
Cuchilla y escalpelo
Compás de puntas
Plegadora de hueso
Regla de metal larga
Tijeras: diversas tijeras grandes, pequeñas y de costura
Papel limpio (sin imprimir) para limpiar
Punzones
Agujas de distintos tamaños y tipos
Tablas para prensar
Plancha de espuma plástica o manta vieja
Papel encerado, papel de silicona o película adherente plástica

Pantallas cilíndricas

Las pantallas de tipo cilíndrico son resistentes y fáciles de hacer. Se pueden exponer individualmente o en conjunto, unas relacionadas con otras, pero con diferentes alturas y diámetros. No existen reglas establecidas sobre las dimensiones, pero hay que recordar que cuanto mayor sea la pantalla, se necesitará más rigidez para mantener la forma redonda. Hay que cerciorarse de que el grano corre verticalmente, ya que eso le dará una fuerza adicional. Es posible hacer una pantalla cilíndrica para una vela o para un candelero, siempre que la llama esté protegida por un recipiente de vidrio para resguardarla de las corrientes de aire. El papel se trabaja estando plano y los bordes se unen después de haber pegado las tiras que darán mayor rigidez. Se puede intentar incorporar la línea de unión al diseño, siempre que ello sea posible.

Existen numerosas técnicas decorativas con las que se puede experimentar. Por ejemplo, se arruga un trozo de papel de seda y se coloca sobre la hoja engomada de papel grueso. Se empuja suavemente el de seda hacia la base, con la mano o con un trozo de tela; también se pueden utilizar unas medias viejas, ya que no sueltan pelusa. Se deja secar entre dos tablas protegidas con material impermeable —papel encerado o de silicona o película adherente— sobre el papel de seda y una plancha de espuma plástica encima para evitar que la textura se aplane por completo. Con las pantallas cilíndricas es fundamental cortar los lados en perfecto ángulo recto con los bordes longitudinales. El papel laminado puede ser bastante rígido como para sostenerse por sí mismo. Pero si necesita un apoyo mayor, se cortan dos tiras de cartón delgado como de un cm de ancho o más, dependiendo del tamaño de la pantalla; para las más grandes tendrá que ser al menos de dos cm. La tira de la base se verá mejor si se corta de la mitad de ancho que la de arriba. Se pegan las tiras con pegamento PVA en el lado interno, metidas aproximadamente a un cm del borde de uno de sus lados y haciendo que sobresalgan —como una ceja— también un cm por el borde del otro lado. En algunos casos, es suficiente con una simple pestaña para dar la vuelta, pegada por el lado de adentro, como se explica en el diagrama de arriba de la siguiente columna.

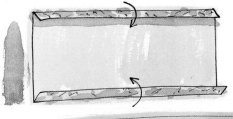

Para conseguir una orilla nítida se hace el doblez con una plegadora de hueso. También se pueden pegar con otras tiras reforzadoras suplementarias.

Las tiras superpuestas, tal como se ven aquí arriba, contribuyen a que la base mantenga su forma circular.

Una forma de crear un efecto misterioso de sombras es haciendo un diseño con ranuras, agujeros pequeños o cortes geométricos. Otra forma de decorar la pantalla es con agujeros hechos con agujas. Este tipo de diseño se ve especialmente bien contra un fondo texturizado al azar con ayuda de una carretilla dentada de modista pasada en distintas direcciones. Si se perfora sobre una superficie suave, como una manta, los bordes erizados serán más pronunciados. Pero, si se prefieren los agujeros con bordes más suaves, es mejor utilizar un punzón. El efecto de la luz que atraviesa los agujeros sin los contornos texturizados es muy diferente.

Las pantallas cilíndricas lisas (extremo derecha) presentan un agradable aspecto, aunque unos bordes sencillos en la base y en lo alto, ya sean pegados o entretejidos, aumentan el interés en términos decorativos, además de incrementar la rigidez del objeto. Otro experimento en este campo son los diseños con agujeros minúsculos y tiras de papel rasgadas y pegadas en el interior del cilindro (extremo izquierda). Los papeles arrugados ofrecen texturas atractivas.

Decorar una pantalla cilíndrica con un diseño de ranuras cortando ventanillas rectangulares, angulares o curvas para que pase la luz.

También se pueden usar las ranuras como base para diseños entretejidos (arriba a la izquierda). Las bandas tejidas de papel contribuirán a mantener la forma del cilindro.

Un plegado en forma de acordeón proporciona al papel una estructura más rígida, además de que se pueden variar los anchos de los pliegues para crear distintos niveles de sombra. En este caso, son esenciales los dobleces perfectos y el espaciado uniforme entre los dobleces. Inténtese hacer una serie de ranuras con bandas entretejidas, como se ilustra arriba a la derecha. En el momento de unir los pliegues para formar un cilindro de acordeón, meter la orilla sencilla de uno de los lados dentro del doblez completo en forma de V del otro lado. Pegar allí mismo con PVA y sujetar con firmeza; alisar las dos partes hasta que se realice el contacto.

Abanico para luces de pared

El método de plegado de acordeón se presta para las formas cónicas, los abanicos, diversas formas exentas, así como para los cilindros. Uno de los estilos más atractivos de pantalla es el de abanico para luz de pared.

Se toma un pliego grande de papel que sea al menos el doble de largo que de ancho. Se señala el centro de una línea que se traza a un cm, a lo largo del borde inferior. Con el compás haciendo eje sobre ese punto central, se traza suavemente un semicírculo y se recorta con mucho cuidado.

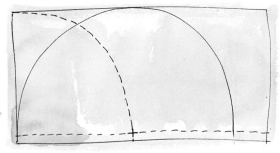

Se divide la circunferencia en distancias iguales y se une cada uno de los puntos con el punto central utilizando la plegadora para marcar estas líneas, alternando ambos lados del papel.

Primero se hace un lado, pero hay que recordar que se debe alternar. La punta del extremo de la base deberá cortarse para que el plegado sea más fácil. Después de marcar, se dobla formando el acordeón con la ayuda de la plegadora y de la regla o de un borde recto. Es muy importante hacer esto, en vista de que se estará doblando contra la dirección del grano.

La orilla superior del abanico se puede festonear, pero es fácil darse cuenta de que es mejor hacerlo cuando se haya terminado el plegado principal.

El abanico necesita un sostén de hilo de pescar ensartado a través de agujeros para evitar que la estructura de papel se combe. Debe haber un grupo de agujeros cerca de la punta de la base y otro alrededor de la mitad del abanico, tal como se muestra en el diagrama superior de la siguiente columna.

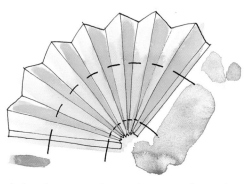

Antes de punzar los agujeros, se cierra el acordeón para ver que las orillas estén alineadas. Las caras de los pliegues se pueden agujerear en grupo: se pone un trozo de cartón protector entre cada grupo y se usa una cara agujereada como guía para el grupo siguiente.

También se pueden aprovechar los agujeros para realizar algún motivo decorativo haciendo primero una plantilla como guía para el dibujo. El abanico requerirá un soporte en la parte de atrás. Se corta un semicírculo de cartulina gruesa o de cartón cubierto con papel. Su ancho indicará la forma final de la pantalla. Se perforan unos agujeros en la base y en los lados que coincidan con los agujeros para los filamentos del abanico, y se hace un agujero mayor para la bombilla. Se pega un trozo para que el abanico doble hacia adentro en cada uno de los lados y se unen estos trozos al soporte de cartón, como se aprecia en el diagrama de la siguiente columna.

Se ajusta el filamento ensartado para formar la curva de la pantalla hasta donde se desee y se asegura atrás del soporte de cartón para evitar que se caiga. Este nudo se pega con una tira de papel.

Se pueden usar bombillas normales, dado que el papel queda lo suficientemente alejado, pero, por regla general, son más seguras las nuevas bombillas fluorescentes que vienen miniaturizadas.

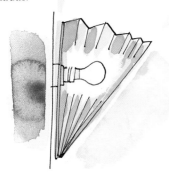

Formas abstractas

Las pantallas que se inspiran en formas escultóricas con formas abstractas o geométricas pueden llegar a ser bastante complicadas. Para los debutantes, el hecho de trabajar con ideas sencillas proporcionará resultados mucho más satisfactorios. Se puede pasar de éstas a otros estilos que se basan en formas ornamentales o naturales en las que se usan las mismas técnicas de cortado, plegado y modelado. Las formas curvas se pueden hacer más rígidas si se les hace un predoblado con la plegadora de hueso y después se las dobla:

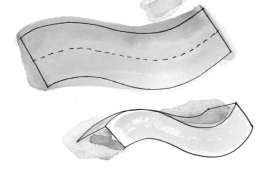

Es posible conseguir un sorprendente efecto tridimensional simplemente torciendo formas que se han cortado con una cuchilla, hacia adelante o hacia atrás del plano principal del papel. La luz se filtrará por las aberturas y arrojará sombras de las formas proyectadas. Hay que recordar que el espacio entre los cortes debe de ser lo bastante separado para evitar que la estructura se debilite e, incluso, que se desmorone por completo.

Es necesario un trabajo muy delicado con el escalpelo para producir siluetas con formas como este ramo de flores. los recortes de este tipo se pueden pegar en el interior de una pantalla cilíndrica o sobre una pantalla plana que se sitúe frente a una fuente de luz.

Las siluetas de papel pegadas sobre un papel translúcido ofrecen una gran variedad de efectos. Pueden ser sencillas o complicadas, libres o apegadas a un esquema, con bordes rasgados o cortados con gran exactitud. Dependiendo del grosor de los recortes, éstos se descubrirán cuando se encienda la luz o se alcanzarán a distinguir aun cuando no haya una luz trasera. Se puede probar rasgando tiras de un papel grueso y colocándolas sobre una hoja engomada del tamaño que se requiere para una pantalla cilíndrica. Pegar una segunda hoja y colocarla sobre las primeras tiras. Prensar con uno de los lados sobre un trozo de material resistente encima de una tabla y cubrir con otro trozo de material protector y una plancha de espuma plástica. Colocar otra tabla encima de todo ello. Cuando esté seco, el lado que quedó junto a la espuma tendrá una ligera textura. Dejar esta parte para el exterior y unir las dos orillas del cilindro, como se explicó en las páginas anteriores.

PERSIANAS

Las persianas no sólo son objetos funcionales, sino también una parte atractiva del mobiliario de una habitación que se funde discretamente con la decoración, o que se mantiene plegada y que de repente se revela como si fuera un baño de color o el escenario de un asombroso diseño. Existen dos tipos básicos de persiana: la de rodillo, la cual funciona con una cuerda y un muelle que hace que la persiana se enrolle en el rodillo, y la persiana acordeón, la cual se pliega, más que enrollarse, pero también debido a la acción de una cuerda. La persiana de acordeón probablemente es más fácil de hacer y más adaptable que la de rodillo, la cual requiere un papel más resistente.

Persianas de acordeón

Las instrucciones que se dan a continuación explican cómo confeccionar una persiana sencilla que se puede decorar con pliegues y con tintes. Sin embargo, cada uno puede experimentar con plena libertad aplicando otros tipos de decoración, por ejemplo, trabajar con el papel plano y decorarlo con salpicado o con brocha de aire, o bien, laminando papel decorado sobre un papel liso más resistente.

Material:
Papel liso resistente, por ejemplo «pergamino piel de cabra», o papel hecho a mano
Papel de seda blanco, ya sea japonés o del tipo que se utiliza para las maquetas de aviones
Pegamento PVA
Mezcla de engrudo y pegamento PVA
Cartón rígido, por ejemplo millboardŸ de entre 1,6 y 2 mm de grueso, o dos listones de madera
Anillas para reforzar agujeros
Cuerda de cortinas o de nylon
Tintes de colores (impermeables o de agua)
Plegadora de hueso
Borde recto y largo (regla)
Cubeta para teñir
Adaptador de regadera (opcional)
Guantes de goma
Periódicos
Plásticos para protección
Perforadora de papel o taladro

Paso 1: medición y plegado

Calcular la cantidad de papel liso que hará falta, según el tamaño de la ventana. Idealmente, la persiana debería de quedar exactamente dentro del marco de la ventana, pero no demasiado justa, puesto que se impediría el movimiento. Hay que cerciorarse de que se cuenta con suficiente cantidad de papel para formar todos los pliegues que se requieren y para dejar que quede un ligero efecto de plisado, incluso cuando la persiana esté extendida. No existen reglas respecto al ancho de los pliegues, pero posiblemente resulte práctico hacerlos de unos 3,5 cm. Puede ser necesario emplear varios pliegos de papel, los cuales se pueden unir después de teñirlos.
Se pliega el papel como un acordeón con cuidado de que el ancho de los pliegues sea el mismo en cada pliego. Después se abre y se arruga el papel. Éste puede ser un trabajo bastante difícil, pero es mejor no hacerlo demasiado vigorosamente o se corre el riesgo de que se rasgue o se agriete.

Paso 2: teñido

Alisar ligeramente el papel sobre una superficie firme, con la palma de la mano. El papel ya está listo para el proceso de teñido. (Cuanto más largo sea el remojo en el tinte, más fácil será manipular después el papel.) En el ejemplo que se muestra en la página 108 se utilizó un tinte azul marino para agua fría, pero cada persona puede experimentar con una gama muy amplia de tintes.
El papel se deja en remojo varias horas para obtener un tono relativamente pálido, pero si se busca un tono más intenso, se deja toda la noche. Una vez logrado el color deseado, se escurre el tinte (la solución puede guardarse para teñir tonos claros en el futuro) y se enjuaga lo más posible con agua fría corriente; se puede usar el adaptador de regadera, el cual facilitará la labor.
En este momento, y debido a que las fibras del papel se habrán debilitado por el plegado, el arrugado y el teñido, es posible que aparezcan roturas en el papel (aunque eso es menos probable si se trata de papel hecho a mano). Las roturas se pueden remendar y hacer que los remiendos se integren al diseño general (ver el paso 4).

Paso 3: secado

Colocar el papel sobre una superficie plana en la que se hayan puesto muchos periódicos y después una capa de plásticos. Los plásticos evitarán que se manche con la tinta del periódico y que las fibras se peguen al papel mientras está secando.

Paso 4: reparación de roturas

Cuando el papel esté seco se vuelve a doblar en forma de acordeón. Si hay alguna zona rota o debilitada, pegar trozos de papel de seda encima de ella, por ambos lados. Para mayor resistencia, hará falta poner dos o tres capas de papel de seda por cada lado. Con un pincel suave, se pinta sobre las zonas cubiertas con papel de seda con un color semejante o contrastante. Cuando la pintura esté seca, resulta muy atractivo rodear las secciones parcheadas con pintura dorada, plateada, color bronce o de otro color, con ayuda de un pincel fino, extendiendo la línea hasta hacer que se funda con las arrugas más profundas. Esto produce un diseño abstracto, semejante al de las nubes.

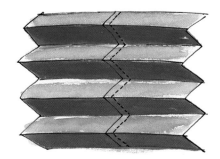

Paso 5: armado

Se unen los pliegos de papel con pegamento PVA o con mezcla engrudo-PVA, dejando empalmes de 1 a 2 cm aproximadamente.

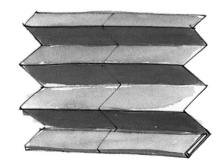

Se refuerzan los bordes superior e inferior de la persiana con tiras de cartón o con listón de madera. Si se usa cartón, el grano debe ir a lo largo de las tiras. Se pega cada tira en su lugar, metiéndola dentro de un pliegue y cubriéndola completamente.

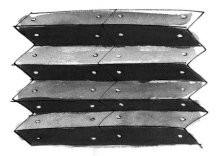

Con una perforadora se hace un agujero a la misma altura en cada pliegue, para que la cuerda pase a través de la persiana en cuatro puntos diferentes. Se refuerzan los agujeros con anillas de las que se usan en papelería escolar y de oficina.

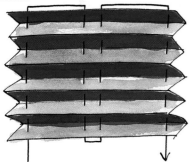

Por último, se comprime la persiana de acordeón y se enhebra la cuerda como se muestra aquí arriba. La persiana se manejará fácilmente: para abrirla se tira suavemente del lazo central de cuerda hacia abajo:

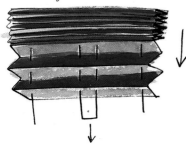

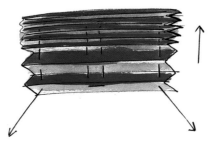

Para cerrarla, se tira de los cordones laterales hacia los lados y hacia afuera simultáneamente, como se muestra arriba.

Persianas de rodillo

Los sistemas de rodillo se pueden comprar en las tiendas de materiales para decoración y, aunque están pensados para usarse con telas almidonadas, también sirven perfectamente para ser utilizados con papel. Hay que verificar que el papel tenga suficiente resistencia como para soportar la constante acción del rodillo. Se puede proporcionar una mayor resistencia laminando dos o tres capas de papel más delgado con mezcla de engrudo-PVA. Para cubrir superficies grandes será necesario empalmar varios pliegos pequeños de papel. Si se utiliza papel hecho en máquina, hay que cerciorarse de que, en cada pliego, la dirección del grano vaya en la misma dirección que el rodillo, para evitar que se formen arrugas.

Los biombos pueden ser opacos o translúcidos. Se puede hacer un biombo opaco aplicando papel sobre una superficie sólida con varios paneles unidos por bisagras. Otra alternativa es usar un viejo biombo plegable, darle una mano de pintura al marco y avivar las zonas centrales del biombo con un collage de papeles decorativos.

Las formas pueden ser tan libres como se quiera, pero siempre hay que tener en cuenta el grano y la capacidad de estirado del papel. En lugar de elegir formas curvas, tal vez se prefiera crear la misma sensación de movimiento con papeles rectos, que son más fáciles de cortar y de aplicar.

Las técnicas para forrar un biombo opaco son las mismas que se han explicado para cubrir bandejas y otros objetos.

Por otra parte, se puede hacer un biombo translúcido, construyendo un bastidor de cartón o de madera con papeles translúcidos tensados, rociados con agua y dejados secar para que adquieran la tensión de un tambor. Los papeles hechos a mano con fibras incrustadas resultan igualmente lucidos tanto con una iluminación frontal como con una trasera.

Los biombos translúcidos estilo japonés poseen una serena sencillez. Generalmente incorporan papel liso o con dibujos propios, aunque no existe ninguna razón que obligue a respetar estrictamente esa tradición. Al igual que con las pantallas, se pueden crear efectos interesantes con siluetas, emparedando formas recortadas o rasgadas, hilos, fibras u otros objetos texturizados dentro de un laminado de dos hojas de papel. Después se estira el laminado sobre el bastidor. Estos biombos se pueden emplear sobre las ventanas o ser expuestos independientemente en un salón.

Los biombos para chimenea ofrecen una gama muy amplia para crear más efectos tridimensionales. Se pueden realizar formas escultóricas con las técnicas de plegado y de recortado, o se puede utilizar una serie de biombos sencillos de distintas formas, uno detrás de otro, para dar la idea de profundidad con el juego de luces y sombras. Naturalmente, los biombos de papel para la chimenea no se pueden exhibir cuando la chimenea esté encendida.

Izquierda: *Las persianas
de acordeón generalmente
tienen que confeccionarse,
cuando menos, con dos
pliegos de papel
empalmados entre sí para
cubrir toda la ventana. En
este caso, se pusieron
parches de papel de seda
para cubrir las roturas que
sufrió el papel durante el
proceso de doblado,
estrujado y teñido en un
color azul. Una vez
terminada la persiana, se
le aplicó un tono más
oscuro con una brocha de
pintar, para disimular el
papel de seda y, por
último, se trazó un perfil
en color oro. Se utilizó un
cordón, también azul,
haciendo juego con el
esquema general.*

Derecha: *Un entramado
lineal de madera sirve
como bastidor para un
atractivo biombo hecho
con paneles individuales de
papel. En esta estructura
de estilo oriental, cada uno
de los paneles se preparó
como un «emparedado» de
dos hojas de papel hecho a
mano, con trozos de
cuerda en medio. Cuando
el pegamento quedó seco,
se rasgaron algunas de las
cuerdas sobre la capa
superior. Las secciones con
una sola capa de papel
son más translúcidas que
el resto del biombo y se
ven más claras cuando se
las ilumina por detrás.*

PAPEL MACHÉ

Con el papel maché y con un mínimo de herramientas se pueden confeccionar recipientes, marcos e, incluso, cajas. Las posibilidades para crear formas son ilimitadas y se puede dar rienda suelta a la imaginación aplicando las diferentes técnicas para decorar que se han aprendido hasta el momento. No hay motivo de preocupación si nunca se ha hecho nada de este tipo, porque el descubrimiento de los muchos objetos que se pueden crear aplicando cualquiera de los dos sencillos métodos que se explican a continuación forma parte de la diversión.
El papel se puede trabajar, ya sea en forma de pulpa, o pegando sobre un molde pequeños trozos de papel rasgado. Aquí también será la experiencia lo que indique cuál de los métodos dará mejor resultado para un trabajo determinado.

Método de capas

Material:

Mucho papel grueso
Pegamento PVA, engrudo para empapelar o
*   engrudo de harina*
Distintos pinceles y brochas para pintar
Recipientes para el engrudo
Plato llano para el engrudo
Periódicos
Plegadora de hueso u otro objeto liso y plano
Delantal
Superficie de trabajo, de preferencia lustrosa, o
*   plancha de formica o vidrio*
Pelota de fútbol, de playa u otro objeto que sirva
*   como molde*
Surtido de cazos o similares para sostener los
*   moldes esféricos*
Vaselina o silicona en spray (del tipo que se
*   utiliza en modelado)*
Pegamento PVA (diluido) o barniz de poliuretano

En el momento de elegir el papel, hay que tener en cuenta que, contra la idea de la mayoría, el papel de periódico no constituye la base idónea para hacer objetos de papel maché, debido a su propensión a ser atacado por los ácidos. Sin embargo, si se decide usar el periódico, se le puede dar una mano gruesa de pintura y después una mano de barniz de poliuretano, las cuales ayudarán a conservar y a proteger el objeto de la atmósfera.

Cualquier papel que entre en contacto con un metal ferroso se hace propenso a la decoloración, por lo tanto es mejor usar brochas y pinceles con sujeciones de plástico, cobre o aluminio.
Se puede utilizar todo tipo de papel grueso, como el de ordenador, papel marrón para envolver, así como sobres y cartas. Los recortes de papel de colores y de revistas pueden aplicarse como motivo decorativo en las capas externas.
Para hacer una vasija, cualquier objeto con superficie lisa puede servir como molde, aunque uno de los que mejor se acoplan es una pelota. Por su parte, un recipiente de menor diámetro que el molde resulta ser un excelente soporte mientras se está trabajando. Se van montando capas de papel rasgado, las cuales se van superponiendo una encima de la otra, sobre una superficie redonda. Se pueden hacer infinitas formas con la misma pelota, variando simplemente la extensión de la superficie cubierta. El entrecruzado del grano y el empalmado de los bordes rasgados producirán un laminado muy fuerte que no necesita ser demasiado grueso para mantener su forma si se trata de cumplir una finalidad puramente decorativa. Pero si se quiere un recipiente más sólido, se van construyendo gradualmente las capas hasta que se considere que el grueso es suficiente. Hay que recordar que cuanto más grande sea el recipiente, más grueso tendrá que ser.
Se recomienda empezar con una pelota pequeña, como las de plástico con las que los niños juegan al fútbol. Se cubre un poco más de la mitad con una capa delgada de vaselina o de silicona en spray para evitar que se pegue el papel maché. La mayor parte de las pelotas tienen una costura a la mitad, la cual puede servir como guía cuando se vayan pegando las capas. Si ésta no se distingue claramente, se señala con un poco de masking tape.
Se hacen tiras de papel rasgándolas con las manos y después se cortan en trozos pequeños.
Si se va a usar pegamento para empapelar hecho de celulosa, se mezcla con anterioridad para dar tiempo a que los granos se hinchen. Este adhesivo se emplea según las proporciones que se indican en el paquete, diluyendo si es necesario. Si se va a emplear engrudo de harina, se revuelve hasta que adquiera una consistencia

cremosa, no demasiado espesa, pues si no formará grumos cuando seque.
Se coloca un poco de engrudo en un plato llano y con una brocha se unta el papel por ambos lados; este procedimiento será más rápido cuando se adquiera el ritmo del trabajo. No parece ser una buena idea empapar los trozos de papel porque recogen demasiado engrudo y es difícil separarlos.
Los trozos más pequeños de papel engomado se van superponiendo, empezando por el ápice, es decir el centro de la pelota, y trabajando de modo uniforme en redondo y hacia abajo.

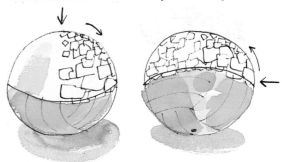

Aumentar gradualmente el tamaño de los trozos de papel hacia el centro hasta que se llegue a la línea que señala la mitad. Para conseguir una forma más profunda, se continúa más allá de la mitad, aproximadamente unos 2,5 cm, pero hay que verificar que la flexibilidad de la pelota permita retirarla después. También se puede hacer una vasija más honda, si así se desea.
Se pone una segunda capa superponiendo los trozos de papel. En este caso, se empieza desde la marca de la mitad hacia arriba; después se ponen otras dos o tres capas trabajando de la misma manera.

Decorar el interior y el exterior de una vasija puede ser ventajoso en la medida en que se pretenda exhibirla en un sitio bajo, por ejemplo, una mesita de café. Esta vasija de papel maché muy delgado se decoró con un dibujo realizado con tinta negra a imitación de un huevo de ave. Primero, se le aplicó un ligero salpicado con un cepillo de dientes mojado en la pintura y restregado con el canto de un trozo de cartón, de modo que la pintura saltó de las cerdas. Las gotas grandes se hicieron con una brocha casera empapada en una pintura líquida.

Con la ayuda de una plegadora de hueso o de un instrumento para alisar, y trabajando constantemente desde el ápice hacia abajo, se presiona para deshacer las burbujas que se hayan formado y para exprimir el exceso de engrudo; después se deja secar la vasija en un lugar cálido. Una vez seca, se puede seguir pegándole más capas, hasta unas cinco más si se quiere. Para hacer la capa más externa se puede cambiar a otro color de papel. Se repite el movimiento de alisar y se deja secar completamente, lo que puede tomar al menos dos días.

Siempre que la base (que era el ápice por el que se empezó) se haya hecho en forma plana, la vasija debería sostenerse sin dificultades. Si los laminados son uniformes, debe de haber una distribución equitativa de trozos de papel por todo el derredor, lo que contribuye a mejorar el equilibrio. Para darle mayor estabilidad, se puede trabajar un «pie» colocando un círculo de trozos pequeños en el centro de la base, e incrementando con trozos un poco más anchos y superponiendo hasta que se forme un lomo pronunciado.

El borde se puede engrosar y decorar superponiendo tiras estrechas alrededor de la orilla hasta conseguir el grueso deseado; después se alisa para un acabado más compacto.

Cuando el papel maché esté completamente seco, se separa con cuidado el molde. Debe hacerse resbalar muy gradualmente, lo que ayuda a presionar la pelota para deshacer el vacío. Se tiene ya una vasija con un interior liso y un exterior ligeramente texturizado, la cual se puede dejar como está o se puede decorar, por ejemplo, pintándola con pinturas de agua, gouache o acrílicas, aplicando el método de engrudo y color (ver página 66), con pulverizado, salpicado (página 71) o impresión. También se podría preparar una tina de jaspeado e ir rotándola suavemente por la superficie para recoger los colores.

Cuando se ha decorado la vasija, hay que dejar que seque bien y sellarla después con pegamento PVA (rebajando hasta darle una consistencia lechosa). El barniz de poliuretano también es adecuado, aunque tiende a dar un matiz amarillento. Si se prefiere, se puede dejar que la pieza conserve las cualidades naturales del papel mate.

Variaciones

Los papeles japoneses delgados con fibras largas resultan ideales para hacer objetos de papel maché con moldes que tengan una superficie delicadamente modelada. De este modo, se conservará una asombrosa cantidad de detalles, además de que los empalmes entre los trozos rasgados tienden a desaparecer.

Así como se usan trozos de papel, se pueden hacer objetos tipo papel maché empleando hojas grandes de papel bien engomadas por ambos lados para suavizar las fibras y después alisarlas con cuidado, pero con firmeza, sobre un molde que tenga una forma adecuada. Se hacen varias capas para darle consistencia. Una sola hoja de papel tratada de esta manera es capaz de mantener la forma. La mejor opción, en este caso, será utilizar un papel hecho a mano y que sea muy resistente.

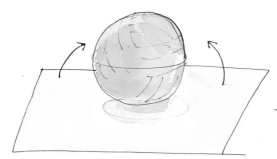

La superficie externa de una vasija de papel maché puede tener una textura áspera que contrastará con la lisura del interior. Esta vasija semitranslúcida se confeccionó con unas diez hojas completas de papel muy delgado, colocadas y suavizadas sobre una pelota. Los empalmes aleatorios y las arrugas son decisivas para el efecto final.

MÉTODO DE PULPA

Este método para hacer objetos de papel maché es muy parecido a modelar con arcilla. Se puede trabajar con un molde o producir objetos independientes sin molde, apretando y dando forma a la pulpa en un proceso más libre y rápido que con el método de capas. Cuanto más fina sea la pulpa, más fino será el modelado que se puede lograr. Pero si lo único que se pretende es producir un objeto para decorarlo, la pulpa resultará ser relativamente tosca. Es preciso mantener los diversos papeles de colores separados, a menos que se le quiera dar al objeto un acabado de color.

Material:
Papel de desperdicio de cualquier tipo, excepto periódico
Pegamento para empapelar (celulosa o almidón) o engrudo de almidón hecho en casa (85 gramos de harina blanca por medio litro de agua)
Cubos o recipientes de plástico
Cazo grande para hervir el papel
Moldes (opcionales), por ejemplo, coladores o moldes para gelatina
Tamiz grande o visillos de malla viejos
Tintes para agua fría o tintes textiles
Guantes de goma
Vaselina o silicona en spray
Cuchillos sin filo, cucharas, palas de pastelería, tenedores o cualquier otro utensilio de cocina que sirva para modelar
Picadora, licuadora o procesador de alimentos

Elaboración de la pulpa

Rasgar o desmenuzar el papel de desperdicio y suavizarlo metiéndolo en agua caliente, o en agua hirviendo en el caso de los papeles especialmente resistentes. Se pasa la mezcla por la licuadora, agregando mucha agua en cada tanda, hasta que se consiga la consistencia de una papilla delgada.
Colar la pulpa hasta que deje de gotear el agua y ponerla en un cubo o en otro recipiente grande y mezclarla con pegamento para empapelar o con apresto (prepararlo según las instrucciones del paquete), o si se prefiere, con engrudo. No será necesario diluir demasiado el pegamento para empapelar, ya que inevitablemente habrá quedado agua en la pulpa, pero, de todas formas, no deberá quedar demasiado espeso. La pulpa se remueve y se

exprime hasta que se sienta que ya es maleable. Cuando la pulpa haya absorbido suficiente celulosa, deberá dar la sensación de estar ligeramente resbaladiza. Se guarda un poco de la celulosa líquida, o del apresto, para aplicarla con brocha o con pulverizador si el objeto terminado parece absorber la pintura demasiado rápidamente. Dar color a la pulpa con tintes puede producir algunos efectos interesantes. Hay que utilizar guantes de goma para realizar el teñido. Se pone más o menos tinte según la intensidad de color que se quiera dar, recordando siempre que el color palidece cuando seca. Para conseguir un efecto moteado, se combina la pulpa teñida con pulpa sin teñir; se trabaja la mezcla muy ligeramente para no extender demasiado el color y darle un aspecto lodoso.
Cuando se emplee un molde, hay que cerciorarse de que la nueva pieza no quedará atrapada en el interior, una vez terminada. Un objeto abierto como el que se ve aquí arriba es ideal.
No hay que olvidar untar con vaselina los sitios que estarán en contacto con la pulpa. Se oprime

bien la pulpa contra el molde, dándole golpecitos con la parte trasera de una cuchara para conseguir una capa compacta y uniforme. La superficie interior de la pulpa se puede decorar con marcas que se vayan imprimiendo, mientras que las orillas o bordes se pueden pellizcar o decorar de otra forma.
Se puede hacer una especie de «caja» usando un molde como «tapa» y un plato como base.
Primero se hace la «tapa», se seca y después se coloca sobre la base empleando película plástica adherente entre las dos piezas para evitar que la «tapa» se moje y se ablande. Cuando la base seque, se encogerá dentro de la forma de la «tapa» y sus bordes coincidirán. Se pueden hacer piezas prensadas utilizando dos platos o boles

idénticos. Se llena uno de ellos con pulpa hasta que tenga un nivel que coincida con el borde. Se le dan golpecitos y se comprime; después se coloca encima el otro plato o bol con algo pesado para prensar la pulpa hacia abajo. Cualquiera que sea el tipo de molde que se emplee, es preciso dejar un tiempo de secado de varios días en un lugar cálido y ventilado. Conviene evitar la tentación de acelerar el proceso, ya que ello puede causar que el objeto se distorsione y que la superficie del papel maché se ponga parda cuando seque la sustancia engomante.

Es muy fácil hacer una orilla festoneada para una bandeja o un bol de papel maché pellizcando el borde mientras está todavía húmedo, del mismo modo como se haría para decorar la pasta de una tarta.

Si el molde es profundo, habrá cierta dificultad para sacar el objeto terminado. Hay que aflojarlo gradualmente por las orillas, dejando que entre aire entre el objeto y el molde para deshacer el vacío.

Una vez que el objeto esté completamente seco y se haya extraído del molde, se puede decorar aplicando cualquiera de las técnicas descritas anteriormente para el método de capas.

Uso de pulpa sin molde

Si se va a prescindir del molde, será necesario trabajar sobre una superficie plana recubierta con papel de aluminio para cocinar, el cual se habrá engrasado con vaselina. El aluminio facilitará despegar el objeto cuando haya secado. Se coloca una capa gruesa de pulpa (de unos 2,5 cm) sobre el aluminio y se presiona con fuerza para moldear el contorno de la forma que se quiere. Eso puede hacerse con las manos o empleando cualquier utensilio de cocina que sirva para el caso. Si se quiere hacer un marco para un espejo o un retrato, se busca algún objeto cuya forma represente el centro, por ejemplo un plato pequeño, y se modela la pulpa a su alrededor. Después se deja que la pulpa seque lentamente antes de quitar esa plantilla central.

Se modela formando distintas capas, dando tiempo a un secado parcial entre cada capa y no trabajando un solo trozo grueso. Las nuevas capas se van fijando en las anteriores mediante movimientos de presión y de pellizcado para que la integración sea absoluta.

Arriba: *La decoración a base de trenzas y el sutil colorido pastel caracterizan este juego de vasija y marco de espejo, realizados con pulpa moldeada. Para hacer el marco del espejo, se emplastó la pulpa alrededor de un plato pequeño. El trenzado en ambas piezas se llevó a cabo con un cuchillo de cocina.*

Derecha: *Cuando se trabaja con la masa espesa de papel maché, una vasija puede llegar a verse tan sólida como si fuera de cerámica. La que se muestra aquí tiene un acabado en negro con un aire japonés. El molde usado fue un viejo colador que aportó un terminado suave, casi metálico, en el exterior, con un dibujo de ásperas protuberancias redondas en los sitios donde se presionó la pulpa. La vasija despierta una sensación muy agradable cuando se la sostiene con ambas manos. Una textura como ésta podría estropearse si se barniza; hay que dejarla sin acabado, a menos que se aplique un barniz mate o PVA diluido para proteger sin dar brillo.*

JOYERÍA

Es muy divertido hacer pendientes, broches, brazaletes, collares y adornos para el cabello empleando papel y reflejar con ello los llamativos contrastes de los distintos colores y de las formas geométricas. Constituida por piezas relativamente pequeñas, la joyería de papel soporta bastante bien el uso, a veces intenso, que se hace de ella. La gran ligereza de los adornos de papel, como las cadenas o los pendientes, les imprime una animación particular cuando la persona está en movimiento.

Los colores brillantes y los diseños, como los que aparecen abajo, forman parte de la diversión de fabricar joyería de papel. Gracias a que los materiales son tan baratos, se puede uno dar el lujo de permitirse diseños estrambóticos. En el extremo opuesto, se pueden confeccionar piezas discretas, cuya sencilla elegancia disimula sus humildes orígenes.

Material:
Pegamento: PVA, engrudo de harina, mezcla de engrudo-PVA o pegamento de uso universal
Pinceles firmes, entre ellos, uno pequeño (por ejemplo pincel número 5 para acuarela) para los trabajos delicados. Los de fibras sintéticas son mejores, ya que mantienen la elasticidad, son más durables que los de pelo y más baratos.
Tijeras
Superficie para cortar
Escalpelo o cuchilla afilada para modelar
Agujas de coser
Accesorios de joyería: por ejemplo, cordones o hilos para collares, broches de plata, baño de plata o acero inoxidable para pendientes, alfileres para broches, cierres para collar
Agujas de tejer (de distintos tamaños)
Palillos para modelado o agitadores de bebidas

Técnicas básicas

Cuando se trabaja con una hoja delgada de papel, por lo general suele ser mejor laminarla a una segunda hoja para que adquiera mayor grosor. Cualquiera de las dos hojas que reciba el pegamento se expandirá y se contraerá más que

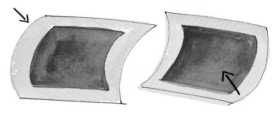

la otra, creando una curva, como aparece aquí abajo:
Si se requiere que al final estos materiales queden planos, se humedecen ambas hojas antes de pegarlas, se aplica el pegamento en ambas, para que no haya tensión entre ellas y para que sus fibras se expandan juntas. De todas formas, hay que tener en cuenta que la onda puede ser útil para los propósitos decorativos; a veces es lo

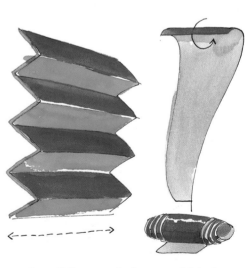

que hace falta para darle a un objeto la sensación de movimiento.
Cuando se pliega el papel, o se riza una tira estrecha, hay que plegar o enrollar en dirección paralela al grano.

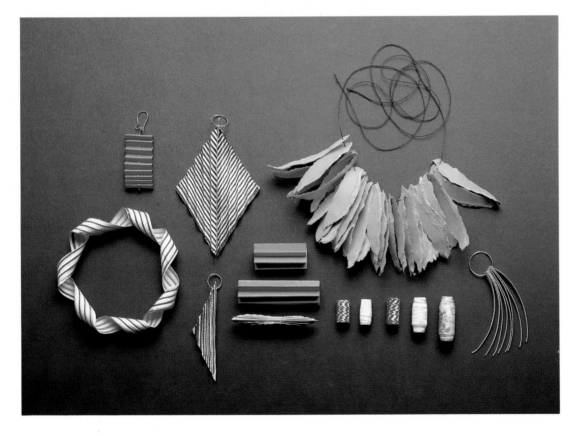

Las orillas rasgadas son espontáneas y funcionan muy bien, especialmente para los collares y los pendientes. Si se busca un rasgado irregular, se hace contra el grano, puesto que yendo en la misma dirección que éste, el rasgado es más fácil y la orilla queda bastante regular.

Un método eficaz es laminar juntas dos hojas gruesas de colores contrastantes, pegando ambas hojas y prensándolas bajo un objeto pesado, mientras secan, para que queden planas. Después se rasgan pequeñas formas alargadas para descubrir el contraste de color. Si se rasga

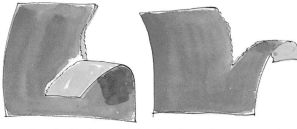

tirando hacia uno, el color de atrás se asomará por la orilla rasgada. Pero, rasgando en dirección contraria, el otro color se verá en el reverso.

Se perforan unos agujeros con una aguja en la pieza y se enhebra, o se pega con pegamento de joyería, a unos pendientes o a unos clips. Se pueden enhebrar varias de esas piezas sobre un cordón de colores para collar, con o sin otras cuentas hechas de papel enrollado entre ellas, para separarlas y darles más peso. También se pueden suspender de una gargantilla de papeles laminados cortados en círculo con una tira estrecha sacada del círculo, entre la circunferencia y el centro del collar. No hacen falta broches, ya que la gargantilla vuelve a adquirir su forma después de torcerla para colocarla alrededor del cuello.

Las piezas curvadas pueden ser muy atractivas. Esta cuenta y el pendiente se confeccionaron con papeles decorados y laminados. Se enrollaron alrededor de un objeto redondo y se sujetaron con

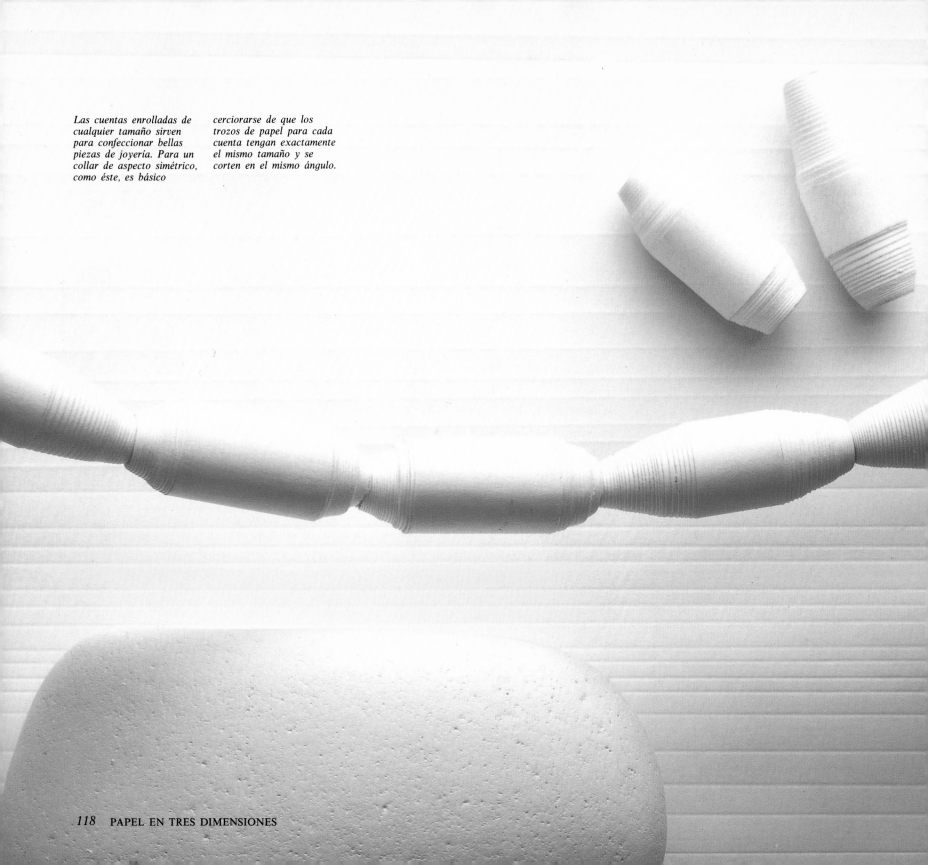

Las cuentas enrolladas de cualquier tamaño sirven para confeccionar bellas piezas de joyería. Para un collar de aspecto simétrico, como éste, es básico cerciorarse de que los trozos de papel para cada cuenta tengan exactamente el mismo tamaño y se corten en el mismo ángulo.

Cuentas enrolladas

Las cuentas enrolladas son una de las formas clásicas de la joyería de papel. Se cortan tiras de papel y se enrollan muy ajustadas alrededor de una aguja de tejer muy delgada. Se pega el principio y el final de cada tira para evitar que se desenrollen. Otra forma es engomar todo el largo de la tira y enrollarla alrededor de una aguja de tejer a la que se le haya aplicado cera o vaselina. Se pueden enrollar varias cuentas en una sola aguja y no hay que sacarlas hasta que estén secas.

Se pueden confeccionar unas tiras triangulares alargadas, hechas en colores contrastantes, laminadas juntas y enrolladas, las cuales ofrecen un potencial decorativo enorme. Para conseguir un efecto bicolor, se corta un triángulo ligeramente más delgado que el otro y se enrolla el laminado alrededor de una aguja de tejer, empezando por el lado ancho. Los papeles jaspeados resultan muy atractivos enrollados de esta manera. Todas estas cuentas son idóneas para enhebrarlas en un cordón compuesto por varios hilos de seda, algodón o lana, dependiendo del impacto que se quiera conseguir.

Tejidos

Una posibilidad de aplicar esta técnica es hacer broches de todas las formas y tamaños tejiendo tiras estrechas de papel a pequeña escala. Las tiras se aseguran con unas gotitas de pegamento PVA o de un pegamento rápido para papel. El motivo terminado se pega a un trozo liso de papel, que puede ser de un color contrastante, el cual se asomará por los espacios libres. Sobre este soporte, mismo que refuerza esa pequeña celosía, se pega un alfiler de broche.

Otra manera es pegar en el centro las tiras estrechas en forma de haz y abrirlas para que formen una auténtica explosión de color.

Plegado de acordeón

Los acordeones se confeccionan siguiendo las técnicas de plegado, descritas en la página 50, y empleando una plegadora de hueso. El ancho de los dobleces —entre 2 y 4 mm, según el tamaño de la pieza que se vaya a hacer— ayudará a dar rigidez al papel. De todas formas, para empezar conviene usar un papel algo grueso o laminar dos papeles delgados.

Si se pegan los acordeones juntos formando ángulos rectos entre sí, es seguro que los pliegues no se abrirán, y la forma de asegurarse es aplicando pegamento PVA u otro pegamento rápido para papel.

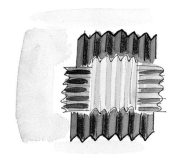

También se pueden confeccionar abanicos o corbatas de pajarita sujetando los acordeones en puntos estratégicos y uniéndolos con pegamento, aguja e hilo, o una pequeña tira de papel engomado. Los adornos para el cabello con esa forma adquirirán una sensación de movimiento colgándoles unas tiras de papel enroscado.

El enrollado (ver página 53) requiere más paciencia que el plegado, pero proporciona una sensación de mayor suavidad. Para confirmar que los corrugados son uniformes, se insertan agujas de tejer o palillos para moldeado. En el caso de las piezas pequeñas, los agitadores de bebidas sirven muy bien.

Si se desea, se puede dejar un espacio plano entre cada rulo para que la adhesión sea mayor.

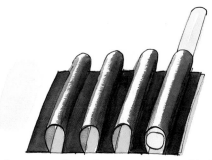

Se pueden curvar los rulos y configurar cilindros o formas semicurvas con la base plana para pegarles alfileres de broche o clips para pendientes.

Cadenas plegadas

Este método se emplea tradicionalmente para decoraciones con cadenas de papel. Trabajando en miniatura, se puede aplicar la misma técnica para brazaletes, collares e, incluso, pendientes. Hay que escoger papeles bastante rígidos y, si se trata de papeles hechos a máquina, observar que el grano esté en dirección a lo ancho del papel. Se toman dos tiras de papel del mismo ancho y del mismo largo, pero de colores contrastantes. Se doblan para hacer una ceja cuadrada en un extremo de una de las tiras. Se pega esta ceja y se oprime la segunda tira encima de ésta formando un ángulo recto. Con la primera tira arriba, se dobla encima la segunda y se continúa así alternando cada una, vigilando que el cuadrado no se deforme. Cuando la cadena tenga el largo deseado, se unen los dos extremos y se pegan.

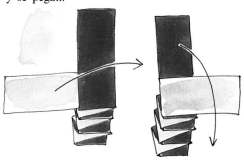

TARJETAS

Existen en el mercado infinidad de tarjetas de felicitación para prácticamente cualquier acontecimiento, pero no se puede negar que llegan a ser costosas y, además, responden a la idea que ha tenido otra persona. Aunque sean atractivas, en ocasiones es más divertido —y siempre resulta mucho más personal— hacer cada uno sus propias tarjetas de felicitación.
En la época victoriana, la gente hacía unas tarjetas muy exuberantes y fantasiosas y desarrollaba técnicas muy intrincadas, cuyos efectos con perforados y de troqueles para pop-up, hacen que las tarjetas actuales se vean, en comparación, demasiado simples, a pesar de los avances de la impresión en tecnicolor. Algunas de las ideas de los primeros tarjeteros se pueden aplicar fácilmente al estilo actual, con intrépidas combinaciones de color y sencillas formas recortadas. También, en el caso de las tarjetas más delicadas, se pueden aprovechar las texturas y los tonos sutiles del papel hecho a mano, jugando con la luz y las sombras que produzcan las siluetas cuidadosamente recortadas, para dar la sensación de profundidad. Las formas arquitectónicas, como puertas y ventanas, constituyen una buena fuente de inspiración que se presta muy bien para ser aplicada en las tarjetas rectangulares usuales.

Material:
Surtido de papeles y cartón
Regla o borde recto
Lápiz fino
Compás
Tijeras
Cuchilla afilada y escalpelo
Pegamentos: engrudo, PVA o mezcla
Plegadora de hueso
Superficie para cortar
Tablas para prensar y objetos pesados
Papel encerado o de silicona
Papel borrador blanco sin imprimir

Si el papel que se quiere usar es demasiado delgado, hay que recordar que siempre se pueden pegar dos o más hojas juntas. Es natural que el tamaño final de la tarjeta determine el grosor del papel, ya que un cartón demasiado grueso resultará excesivamente abultado para una tarjeta pequeña, la cual además va a ir doblada.

La plegadora de hueso y la regla son dos herramientas esenciales para hacer dobleces precisos. Cuando se tiene una serie de figuras regulares, es importante utilizar un compás para que las mediciones sean constantes; cuando se mide con lápiz y regla, existe un riesgo mayor de que haya ligeros errores. Recuérdese aprovechar la dirección del grano del papel como otro elemento de ayuda: debe de ser paralelo al doblez principal.
La forma vertical con el lado abierto es más resistente, en general, y se sostiene mejor, aunque no hay que desechar las tarjetas horizontales con el doblez arriba. Se recomienda seguir las reglas básicas del doblado, según explican en la página 50. Después de predoblar con la plegadora y la regla, levantar la mitad suave contra la orilla de la regla y terminar alisando con cuidado esa mitad por el doblez. Esto se puede hacer poniendo encima una hoja de papel cualquiera para evitar que a la tarjeta terminada le salgan brillos o le queden marcas.
La naturaleza de una tarjeta puede cambiar de forma espectacular variando simplemente la posición del doblez, o haciendo más de uno en la misma tarjeta. Éstas son sólo las posibilidades más obvias:
Las tarjetas de este estilo quedan muy atractivas cuando se laminan papeles de dos colores. Es

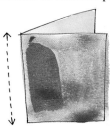

recomendable mojar ambos papeles antes de pegarlos para que las fibras se suavicen por igual; de otro modo, la hoja pegada se contrae mientras seca y se ondula notablemente.
La tarjeta ganará un interés adicional si se le pone algún sistema de sujeción. El color del interior de un laminado bicolor puede asomar de manera

muy interesante con un simple doblez.
No hay que olvidar dejar espacio suficiente para el mensaje de felicitación el cual, en todo caso,

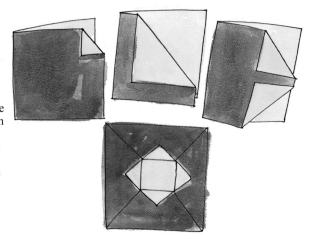

es lo que ha inspirado la creación de la tarjeta. Si se lamina un papel decorado junto con otro liso, se puede buscar que el liso haga juego con alguno de los colores del motivo decorado, lo que redundará en la armonía. El mensaje siempre será más legible si se escribe sobre el lado liso. El doblado del papel a la mitad antes de empezar le da mayor fuerza y permite que se oculten siluetas recortadas.
En los libros infantiles se pueden descubrir muchas posibilidades para hacer un pop-up, ya que allí se aplica una habilidosa ingeniería del papel; algunos parecen enormemente

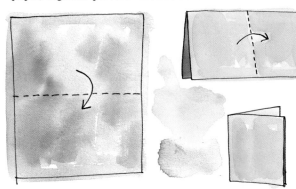

complicados, pero todos ellos se basan en técnicas sencillas. Suelen contener muchos elementos pero, en este caso, no hacen falta para imprimir el movimiento que se logra simplemente cortando y doblando la hoja de papel que se convertirá en una atractiva tarjeta.

Sería buena idea ensayar la figura del pop-up para cerciorarse de que no va a sobresalir de la tarjeta. Generalmente tendrá que prolongarse desde el doblez central hasta un poco más de la mitad de cada uno de los lados. Sin embargo, la colocación exacta depende de si la figura está recta o angulada.

Para la figura del árbol o triángulo, que se ve aquí arriba, lo mejor es cortar la base en forma de V para que aparezca como una recta horizontal cuando se abra la tarjeta.

Después de hacer los cortes, se «dibujan» las líneas de los dobleces con la plegadora. Después

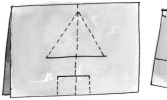

se aflojan los dobleces hacia atrás o hacia adelante con los dedos para que la figura sobresalga cuando se doble la tarjeta a su forma cerrada original.

El origami, arte japonés de doblar papel, puede ser una fuente de ideas para adaptar a la confección de tarjetas; se puede consultar alguno de los muchos libros que se han publicado sobre el tema. El papel que se utilice debe ser, por lo general, bastante delgado para poder doblarlo muchas veces, pero si se necesitan pocos dobleces, habrá más opciones en cuanto a texturas y grosores.

Tarjetas con troqueles

Se puede crear una variedad muy completa de figuras sorprendentes haciendo simplemente unos

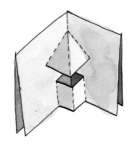
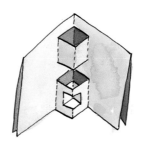

cuantos cortes en una tarjeta doblada y dar vida a diseños novedosos. Habrá que empezar practicando cortes definidos antes de aventurarse a atacar los diseños más complejos, ya que toma su tiempo ir familiarizándose con todas las

formas y líneas que se pueden cortar sin demasiada dificultad con una cuchilla. Las curvas son muy difíciles y, a pesar de que ya se dispone de cuchillas giratorias que simplifican ese trabajo, en realidad no existe ninguna cuchilla «loca» en el mercado. Sin embargo, en algunos países, especialmente en China, ha existido la tradición del arte de recortar papel de formas notablemente intrincadas. El papel es muy fino, lo que permite una gran ligereza de toque y una menor resistencia de la que presentan los papeles gruesos. Cuando se pruebe a hacer los troquelados, es conveniente prepararse para adaptar las figuras y las técnicas al tipo de papel que se está utilizando y al efecto general que se persigue.

Aparte de las formas simples que se recorten en el papel, se puede probar cortando o perforando orillas decorativas o crear un diseño global que domine la portada de la tarjeta. Así como sucede con las plantillas, hay que cerciorarse de que los cortes no queden demasiado juntos, pero sí que haya sectores de papel sin cortar en medio de las secciones recortadas para que la tarjeta no pierda su firmeza.

La decoración con motivos tejidos, como los que aparecen aquí abajo, representan una vía interesante de exploración.

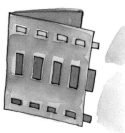

Se puede confeccionar una tarjeta más complicada utilizando tres laminados de dos papeles gruesos y uno del tipo del papel de seda. Se recorta una ventanilla en la capa de la portada, se pega la orilla de un trozo de papel de seda japonés cortado a la medida y se coloca en posición sobre el borde interno de la ventana. Después de hacer presión sobre el papel de seda en su lugar, se enmascarilla el marco de la tarjeta y se rocía finamente con agua el papel de seda. Esto aflojará las fibras, las cuales terminarán estirándose como un tambor cuando sequen. Cuando esto suceda, se pega el cartón de atrás, el cual debe tener recortada una ventanilla igual, y se oprime contra el primero, emparedando el papel de seda. Se prensa entre papeles secantes u otros papeles resistentes hasta que la pintura seque.

Una variante de esta técnica es intercalar figuras de papel entre dos capas de papel de seda enmarcado del mismo modo, con lo que se obtendrá un efecto de siluetas, como el de las sombras chinescas.

Se pueden usar orillas rasgadas para hacer contraste con figuras recortadas con cuchilla de precisión. Los bordes rasgados con laminados de dos colores (explicación en la página 117) son particularmente prácticos.

ENVOLTURAS DE REGALOS Y CARTERAS

Material:
Cartón de un grosor máximo de 1,6 mm
Papel decorativo
Papel de desperdicio o impermeable
Mezcla de engrudo-pegamento PVA
Brocha para aplicar el pegamento
Plegadora de hueso
Perforadora
Cintas, cordón de colores o hilo

Se pueden hacer atractivas bolsas y carteras para guardar regalos usando papel, cartón o cartón cubierto con papel decorado, ya sea comprado o elaborado por uno mismo. Para hacer una caja sencilla para un regalo, se señalan las medidas en un borrador y después se prepara una hoja de papel cortada en forma de cruz, como se ilustra en el diagrama inferior. Una caja grande necesitará tres trozos de papel que se han de unir agregando solapas laterales a la tira central, más larga, de donde se formarán la base y los laterales. A las solapas se les dan unos 2 cm más como pestañas para dar la vuelta.

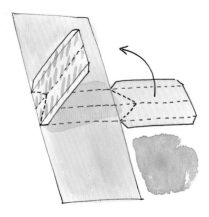

Se dobla por el centro para darle la forma de T, con los lados decorados del papel hacia adentro. Se abre el papel hacia afuera y, con la cara decorada hacia abajo, se doblan los extremos longitudinales hacia el centro y se vuelven a abrir. Después se toman las dos solapas (las que tienen las pestañas), se doblan hacia el centro y se vuelven a abrir. Después se dobla una esquina de una de las solapas hacia afuera y hacia atrás, formando un ángulo de 45° respecto al largo de la bolsa. La misma operación se repite para la otra esquina. Se tiene ahora un triángulo que ha

quedado marcado en la solapa, como se aprecia en la ilustración. Hay que hacer lo mismo con la otra solapa. Se abre el papel hacia afuera y se llevan las solapas hacia arriba, empujándolas por los triángulos que se acaban de formar, mientras se empuja el pliegue central desde abajo y hacia adentro. Se pegan las pestañas de las solapas poniendo

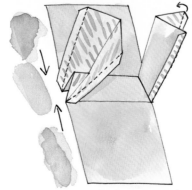

detrás un papel cualquiera o uno impermeable para proteger el resto de la bolsa.
Se llevan los laterales hacia arriba y se unen con fuerza, verificando que las orillas queden perfectamente alineadas.
Repetir este proceso para el otro lateral.
Para cerrar la bolsa se puede doblar la tapa y

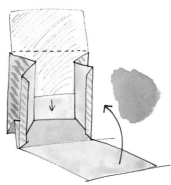

asegurarla con un clip, pero, para darle un acabado más seguro y profesional, se refuerza la tapa pegándole una tira de cartulina justo debajo de la orilla del papel al que ya se puede dar vuelta para disimularla. Después se hacen unos agujeros con una perforadora y se pasa una cinta o un cordón para cerrarlo formando un lazo.
Otra opción, en lugar de la bolsa para envolver

un regalo, es confeccionar una cartera utilizando cartón cubierto con papel. Se necesitan tres trozos de cartón cubierto, uno para la base y los laterales y los otros dos para las solapas en forma de acordeón.
Primero se hacen la base y los laterales tomando el cartón, del tamaño que se quiera que tenga la cartera, y doblando los extremos hasta que se encuentren en el medio, usando una plegadora para que el pliegue sea exacto. Se abre el papel hacia fuera y se doblan nuevamente los extremos, pero esta vez a unos 3 cm menos del primer doblez. Con esto quedarán hechos los dobleces para la base y los laterales. Las solapas se confeccionan con dos trozos de cartón del mismo ancho que la pieza central, pero de un tercio de largo. Se pliega cada trozo a lo ancho, de un extremo a otro, formando un acordeón con pliegues de unos 2 cm de ancho. (También se pueden hacer en forma de abanico como para la pantalla de pared descrita en la página 104.) Con el acordeón comprimido, se engoma ligeramente uno de los laterales y se coloca, tal como se muestra abajo. Se hace lo mismo con el otro acordeón.

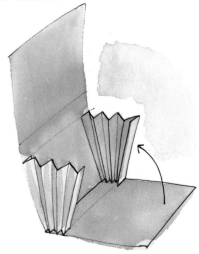

Se engoma el segundo lateral sobre los acordeones y se lleva la solapa frontal hasta reunirse con los acordeones, apretando con fuerza y confirmando que las orillas queden alineadas exactamente. Se dobla el otro extremo de la hoja siguiendo las líneas de los dobleces marcados previamente para que dé la vuelta cubriendo el frente de la cartera.

Bolsos, bolsas y carteras
para guardar regalos,
papeles y muchos otros
objetos son el fruto de la
imaginación y de la
dedicación para trabajar
con el papel que se pliega,
se arruga o se estira para
formar triángulos,
acordeones o laterales
lisos. Es imposible ser
dogmáticos respecto a los
usos y a las técnicas de
confección de una cartera,
ya que el gusto personal
influye de manera decisiva,
pero se pueden aportar
algunas ideas para dar un
toque final. Un caso
puede ser pegar o coser
unos «botones hechos de
papel laminado que sirven
para entrelazar una cinta
en forma de ocho y darle
un cierre perfecto al
artículo, como se puede
ver en la cartera que
aparece en primer plano.
La solapa, cuando la haya,
puede ser recta, en forma
de V o diagonal y puede
contrastar con el resto de
la cartera, o hacer juego
con ella.

BANDEJAS FORRADAS

Material:
Escalpelo
Superficie para cortar
Plegadora de hueso
Regla de metal
Papel jaspeado o decorado
Pegamento PVA y mezcla de engrudo-PVA

Con los años, las bandejas, a las que se da un uso intenso en casa, tienden a astillarse, rajarse o a adquirir un aspecto muy estropeado. Pero una vieja bandeja puede transformarse en un objeto digno de ser atesorado cuando se le da un tratamiento y se forra con un papel decorado o con un mosaico de papeles diversos.
Existen dos pasos para forrar una bandeja con una orilla pronunciada, como la que aparece en la fotografía de la siguiente página; primero se trabaja el marco y después la base.

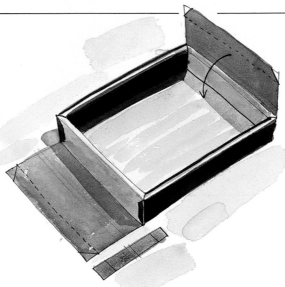

Son necesarias cuatro tiras de papel para cubrir el marco, una por cada lado. Cada tira se coloca justo encima de la unión interna del marco y la base, formando un borde estrecho sobre la base, sobrepasando las orillas interna y externa del marco y cruzando sobre el lado inferior de la base, donde debe dejarse un giro de aproximadamente 2,5 cm. Conviene usar un escalímetro, como el que se describe en la página 98, para determinar las medidas del papel que se va a usar. Para el largo se dejan unos 5 mm más en cada extremo, para los dobleces de las esquinas, los cuales reforzarán los puntos más vulnerables.
Antes de pegar el papel se recomienda mojarlo para que se suavice. El grano debe de estar a lo largo.
Primero se aplican los lados largos. Se lijan los

pequeños dobleces de las esquinas externas para darles un acabado más liso; esto apenas se notará cuando se peguen los lados cortos sobre los bordes de las esquinas.
Es mejor trabajar los ángulos internos de cada esquina conforme se vaya llegando a cada uno, en vez de cortar desde antes cada tira, ya que puede haber ligeras variaciones y el papel se puede mover mientras se trabaja con él.
Se deben hacer ingletes en las esquinas, para lo que se sostiene el trozo restante que se dejó para

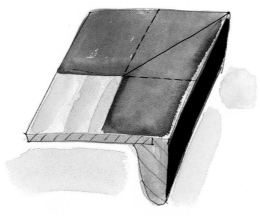

la vuelta, y cortar con el escalpelo en un ángulo de 45° sobre las tiras encimadas. Se retira el

trozo cortado y se alisa el ángulo para que la superficie quede uniforme.
Ahora se puede forrar la base de la bandeja. Se empieza desde el marco y se va haciendo adentro. La mejor manera de calcular el diseño es dibujar el rectángulo de la bandeja a escala para empezar a hacer el bosquejo. La escala de la superficie se calcula trazando una diagonal, como se ve en el primer diagrama de abajo. Los otros tres diagramas muestran algunas ideas básicas para el diseño de un mosaico. La variedad de papeles será muy interesante en sí, incluso si se trata de un diseño muy sencillo.

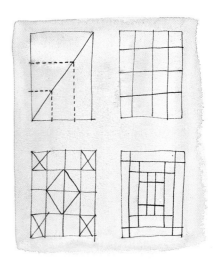

Una cubierta de mosaico, como la que aparece en la fotografía, requiere una medición muy precisa. Cuando se haya decidido cuál será el diseño, se mide la base y se divide el resultado matemáticamente para saber las medidas de cada unidad del mosaico. Otra forma, en caso de sufrir un bloqueo mental con los números, es cortar trozos de un papel cualquiera del ancho y del largo de la base de la bandeja y doblarlos varias veces para hacer una plantilla y medir así los trozos que constituirán el diseño. Todas las tiras largas deben cortarse a lo largo del grano, incluso si se pretende entrelazar, para que no haya riesgo de que el papel estire.

MARCOS

He aquí otra idea muy original que además proporciona la satisfacción de confeccionar un objeto verdaderamente práctico. Como es de suponer, los marcos confeccionados con cartón y papel no podrán soportar el peso de un óleo, pero, en cambio, un grabado, una acuarela, una fotografía, un muestrario de costura, e incluso un espejo, no representan ningún problema.

En este caso, se puede emplear prácticamente cualquier tipo de papel, aunque es preciso echar mano de un papel resistente para las orillas externas del marco. Los papeles mecánicos de buena calidad funcionarán perfectamente, siempre que se respete la dirección del grano.

Material:
Cartulina o cartón —de preferencia millboardŸ
Pegamentos —PVA de secado rápido o mezcla de engrudo-PVA para las partes estructurales; engrudo o mezcla engrudo-PVA para cubrir el cartón
Brochas de distintos tamaños para pegar. Usar brochas sintéticas de pintor para los espacios pequeños
Algodón o trapos de algodón
Cortador de cartón
Escalpelo de cuchilla fina para cortes delicados
Superficie para cortar
Papel encerado o de silicona, o polietileno, para evitar que el exceso de pegamento adhiera el marco a las prensas durante el secado
Tablas para prensar y objetos pesados
Prensa de encuadernación (si es posible)
Abrazaderas en forma de C para utilizar con las tablas para prensar (recuérdese proteger el trabajo con trozos grandes de cartón)
Lija fina
Plegadora de hueso
Lápiz fino
Compás de carpintero o de ingeniero
Masking tape (cinta para enmascarillar)
Planchas de goma espuma —para prensar superficies realzadas

Lo primero en lo que hay que pensar es en el objeto que se va a enmarcar, ya que resulta mucho menos gratificante hacer primero el marco y después buscar qué se va a poner dentro.

Un marco sencillo de cartón tiene tres componentes principales: el respaldo, el marco de la ventana y las tiras de cartón o de papel que constituyen las «molduras». Cuando se enmarca un objeto con un cierto volumen, como un espejo, es preciso armar tiras laminadas por todos los costados como base del marco de la ventana.

Antes de empezar, hay que pensar con cuidado las medidas del marco en sí, en relación con lo que se va a enmarcar. La profundidad del marco en la parte superior generalmente es igual al ancho de los lados, pero, en la parte de abajo, la profundidad es mayor para evitar la impresión de que lo enmarcado se está cayendo. Este principio puede aplicarse a otros objetos de esta sección: asas, lazos y adornos se colocarán, por regla general, más cerca de la parte de arriba que de la de abajo del marco para lograr una sensación de equilibrio.

Se cortan tiras de cartón o de papel para las «molduras», las cuales deben de tener el grano a lo largo. Ello contribuye a reforzar la estructura e impide que el cartón del respaldo se deforme. Si el grano queda atravesado a lo ancho, las tiras estrechas tienden a volverse flexibles y a inclinarse. El cartón en anchos pequeños se hace más rígido, porque es más difícil que teniendo un tamaño reducido se haga curvo.

Es necesario cortar ángulos rectos muy exactos, y para ello se puede emplear una escuadra de carpintero y una regla pesada de metal. Los cartones del respaldo se pegan con pegamento PVA, uniéndolos y presionando del centro hacia afuera para evitar que las posibles burbujas de aire queden atrapadas. También durante el prensado se evita que se formen otras burbujas poniendo pequeños trozos de masking tape (cinta para enmascarillar) que se pueden retirar después sin dificultad.

Aunque estos marcos de papel presentan unos perfiles hechos con molduras (se describen más ampliamente en la página 129), su atractivo deriva principalmente del diseño, la textura y la variedad de matices.

Se cortan las tiras para los bordes externos del marco. Las de arriba y las de abajo deben de tener el mismo ancho que los cartones del respaldo; los laterales deben de tener el mismo largo que los cartones menos el equivalente a dos anchos de las tiras.

Es mejor no ingletear las esquinas, ya que eso las vuelve más frágiles. Se pueden reforzar alternando la segunda capa, es decir, dando a las tiras laterales el mismo largo de los cartones.

Se cubre el marco de la ventana con un pliego completo de papel decorativo, dejando una pestaña de entre 1,2 y 2,5 cm (para la vuelta) por todos los lados. Se aplica el engrudo o la mezcla engrudo-PVA al papel y se coloca con cuidado sobre el marco de la ventana, alisando para quitar las burbujas antes de prensar. Se preparan las esquinas de las pestañas, se pegan y se les da la vuelta y después, trabajando

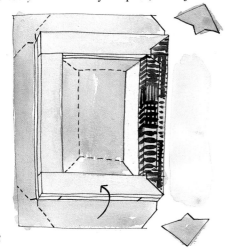

desde atrás y sobre la superficie para cortar, se recortan dentro del rectángulo de la ventana, dejando una pestaña de un cm. Se ingletean las esquinas antes de pegarlas sobre la parte de atrás del marco.

Si en el diseño general se ven partes del cartón del respaldo, también hay que cubrirlas con papel. Se deja secar dentro de la prensa, pues si no el papel tirará de los cartones y producirá una curva. Para evitar que se deforme, se pega otra hoja de papel sobre el respaldo para contrarrestar el tirón, haciendo coincidir ambas direcciones del grano.

Las tiras de las molduras se pueden forrar con papel, de forma independiente, y pegarse en capas, creando un efecto escalonado. Se corta el papel al tamaño, dejando una pestaña de un cm o más para la vuelta y se pega con mezcla de engrudo-PVA. Se coloca el cartón en el centro, se alisa y se cortan las esquinas para formar un inglete de 45°. Con la plegadora de hueso se suavizan las esquinas del papel y después se doblan hacia arriba, formando ángulos rectos con el cartón, y se alisan las pestañas.

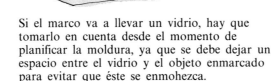

Si el marco va a llevar un vidrio, hay que tomarlo en cuenta desde el momento de planificar la moldura, ya que se debe dejar un espacio entre el vidrio y el objeto enmarcado para evitar que éste se enmohezca.

Se podría considerar dejar una pestaña lo suficientemente ancha en las tiras superiores de la moldura como para envolver los bordes del marco sobre el cartón de respaldo. Con ello se reforzaría y se daría un buen aspecto al borde formado por las distintas capas.

Cuando se prensen las capas laminadas del marco ya armado, se coloca encima una plancha de espuma plástica y después una tabla para prensar. La espuma sirve también para prensar superficies que se han perfilado con la colocación de molduras.

Para crear un realzado con superficies en relieve, se pegan trozos de cartulina o de papel grueso sobre el cartón que se ha usado para el marco. Después se cubren con papel y se prensan junto con la espuma plástica. Es asombrosa la manera tan clara en que el papel humedecido revela el contorno de la capa interna de cartón o de papel.

Después de armar los principales cartones y molduras se pueden poner pequeños elementos como cuadrados, triángulos, mosaicos, etc. forrados de papel.

La ventana se puede unir al marco con una bisagra de papel, o se puede pegar en un sitio para que quede fija. También se puede poner una bisagra para acomodar fácilmente el objeto enmarcado. Si acaso hace falta, se puede quitar la imagen, humedeciéndola con engrudo.

Cuando se quieran colocar ojetes, colgaderos o anillas a los marcos de cartón y papel, hay que colocar los tornillos en las partes más gruesas. Las fibras del cartón no dan un agarre tan fuerte como la madera, por lo que hará falta un refuerzo con pegamento PVA o con otro pegamento de uso universal.

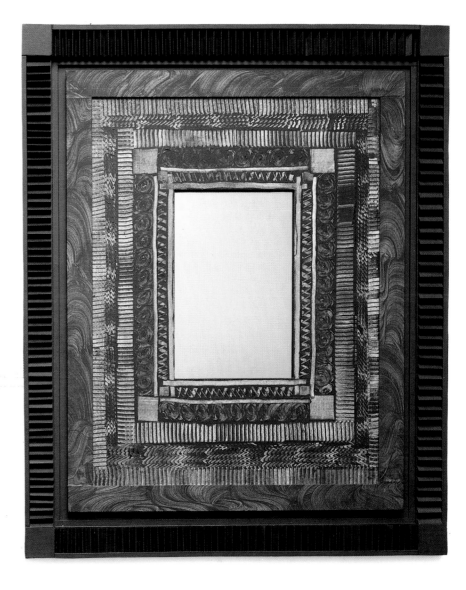

Cuando el esquema de color de un marco es simple y austero, se puede dar forma a una estructura y a un diseño relativamente elaborados. Los dos cuadros que aparecen aquí hacen despliegue de una amplia variedad de técnicas. Los papeles empleados para las monturas se decoraron siguiendo el método de engrudo y color (ver páginas 66 a 69). Izquierda: *Un frontón triangular flanqueado por ornamentos afilados* confiere a este diseño un aspecto arquitectónico. El marco muestra también unas tiras de papel rasgado negro, sobrepuesto en un patrón ondulado, las cuales aparecen no sólo en el panel de arriba, encima del frontón, sino también en una de las molduras. Una tira de papel en espiral separa esta moldura del marco exterior. Obsérvense los cuadrados de distintos tamaños de las esquinas que repiten los diseños realizados con engrudo-color. Derecha: *Las tiras estrechas de papel o de cartulina plegadas como acordeón representan un detalle atractivo que se puede incorporar en un marco. En contraste con la orilla plegada, se ve una* moldura interna formada por capas de cartón y forrada con papel negro, decorado con remolinos realizados con el método de engrudo y color.

CUBIERTAS DE MESA

Una cubierta de mesa hueca que normalmente estaría cubierta con azulejos de cerámica, podría usarse como base para azulejos de cartón forrados con papeles decorados. Se puede sacar un máximo de provecho combinando una variedad de tonos, texturas y diseños. Los papeles hechos a mano con trapos de lino, de algodón o con otras materias vegetales, proporcionan un aspecto delicado, además de que se pueden decorar aplicando técnicas como el estrujado, el enrollado y el perforado. Los papeles mecánicos lisos ofrecen la posibilidad de una decoración más colorida, por ejemplo, con los métodos de engrudo y color o de salpicado (ver páginas 66 a 69 y 70 a 71). Para dar un acabado más parecido al del azulejo en las esquinas de cada cuadrado, se pone el papel al revés, como se muestra abajo, pero sólo si el papel es lo suficientemente delgado como para doblarse con facilidad.

El vidrio antirreflectante, aunque es más caro, es preferible al vidrio común y corriente, ya que éste refleja la luz y da un tono verdoso, lo que resta valor a la sutileza del papel. Si se busca mayor flexibilidad, se pueden pegar los azulejos y los ribetes sobre un cartón cortado al tamaño del hueco de la mesa, de manera que se pueda quitar fácilmente y cambiar por otro cartón con una decoración distinta.

Los azulejos de papel no tienen que ser de colores brillantes para dar lugar a un diseño atractivo. En este ejemplo, los azulejos muestran una variedad de tonos sutiles que van desde el crema pálido hasta el cuero oscuro. Las sombras definen cada diseño. Obsérvese cómo se complementan los colores naturales con el marco de madera clara. Los azulejos emplean todo el vocabulario de técnicas de manipulación del papel como rasgado, estrujado, perforado, plegado, ranurado, entretejido e impresionado. Nótese especialmente el contraste entre los toscos bordes rasgados y los que están cortados o plegados con toda exactitud.

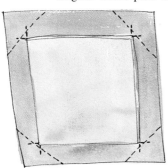

Una vez cubierto el azulejo, se le pueden poner tiras de papel rasgado para conseguir un efecto decorativo:

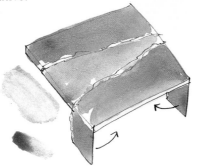

La mesa o el borde de ésta deben estar hechos de tal manera que el vidrio quede ligeramente levantado para que no aplaste los azulejos.

También se pueden hacer las cubiertas dejando un espacio bastante profundo, como si fuera una caja, debajo del vidrio, en donde se pueden colocar azulejos tridimensionales de distintos gruesos, los cuales estarían forrados con papel decorado, al igual que las cajas (ver páginas 98-99) y dispuestos de forma que se vieran los lados, así como la parte de arriba, al estilo de la maqueta de una ciudad, de un complejo arquitectónico o de un edificio.

Son posibles otras variantes usando mesas hexagonales u octogonales, en donde los azulejos tuvieran forma de diamantes y de triángulos

Otra idea es poner un ribete decorado, por ejemplo, con engrudo y color (páginas 66-69) rodeando un gran cuadrado decorado con esa misma técnica. Se puede experimentar con texturas y diseños contrastantes.

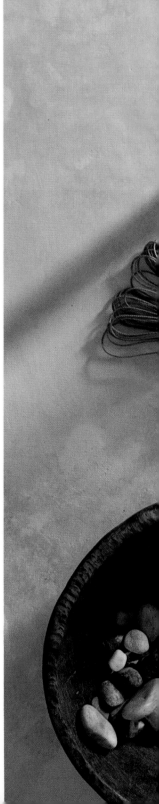

ARTÍCULOS DE ESCRITORIO

Los escritorios suelen despertarnos una cierta inclinación al desorden. Por lo general se compran artículos como cuadernos, lápices, portaplumas, secantes, etc., una gran diversidad de estilos discordantes, sin prestar ninguna atención a que resulten compatibles. Pero cuando se intenta crear una impresión de orden, siempre se puede adquirir todo ese equipamiento de escritorio unificado bajo un determinado tema decorativo. Por ejemplo, estos productos de Il Papiro, a pesar de la diferencia en el colorido, están coordinados por su decoración con papeles jaspeados, en un estilo histórico caracterizado por sobreponer diseños llamados de «cola de pavo real».
Si se prefiere confeccionar esos artículos en casa, usando quizá los papeles que uno mismo ha decorado, entonces tomará un poco más de tiempo dominar todas las técnicas. El primer paso cuando se corten los forros para los lápices es hacer una plantilla que será un rectángulo de papel, el cual se enrollará en el

lápiz dejando una pequeña pestaña para el traslape. Cuando se haya cortado, dándole el ancho correcto, se puede usar como guía para cortar el papel que se va a pegar a los demás lápices. Se engoma el papel y se coloca el lápiz, a lo largo, sobre una de las orillas; después, con un movimiento sencillo, firme y continuo se enrollan juntos el lápiz y el papel hasta que se unan los dos extremos del papel. El procedimiento para forrar cajas se halla descrito en las páginas 98 y 99. Las carpetas para guardar cartas, documentos o cualquier cosa que deba de estar plana se pueden hacer de muchas maneras; en las páginas 134 y 135 se dan algunas ideas. Los lazos en tres de los lados y la media encuadernación (o sea, la tira de papel contrastante que discurre por el lomo y los triángulos de las esquinas externas, como se muestran abajo) añaden un agradable sentido de tradición. Sólo se necesita un poco de inventiva para aplicar esta forma de decoración a otros artículos de escritorio, como los secantes y portacartas.

Los papeles jaspeados se asocian tradicionalmente con la encuadernación, ya que durante muchos siglos han sido utilizados como guardas decoradas. Posiblemente sea ésa la razón por la que el papel jaspeado parece tan apropiado para los artículos de escritorio, diseñados para utilizarse en el estudio, como las carpetas, las cajas y los muchos otros que aparecen ilustrados en estas dos páginas.

CARPETAS

Material:

*Papel de cualquier tipo que puede estar decorado
  aplicando cualquiera de las técnicas descritas
  entre las páginas 62 y 93*

*Cartón de grosor entre 1 y 1,5 mm, por ejemplo,
  millboardŸ u otro cartón para encuadernar*

Cintas

Pegamento PVA

Mezcla de engrudo-pegamento PVA

Brochas para aplicar el pegamento

Cuchilla fuerte para cortar cartón

Escalpelo

Tijeras

Borde recto

*Escuadras de delineante o escuadra de
  carpintería*

Superficie para cortar

Papel encerado o polietileno

Tablas para prensar y objetos pesados

Es relativamente fácil hacer una carpeta
decorativa en donde guardar papel para
escribir, cartas o documentos, pero hay que
tener mucho cuidado para evitar que se
deforme, ya que el propósito de una carpeta es
conservar las cosas planas. Para obtener
resultados perfectos, hay que seguir las guías
acostumbradas respecto a la dirección del
grano, el tipo de pegamento y las técnicas de
pegado.

se ve en la columna anterior es cortar dos
cartones al tamaño deseado, con la ayuda de
unas escuadras o una escuadra de carpintero,
para hacer ángulos rectos perfectos. Después se
corta al tamaño el papel con que se va a forrar
la carpeta, dejando una pestaña de cuando
menos 1,5-2 cm, para la vuelta, en cada uno de
los cuatro lados, además de un ancho generoso
en el centro, el cual se convertirá en el lomo. Se
colocan los cartones en su posición sobre el
revés del papel y se marcan las esquinas con
unos suaves pinchazos usando el compás. Más
adelante se ingletearán las esquinas del papel,
dejando un espacio en la esquina de unos 2,5 cm
el grueso del cartón, para hacer las vueltas,
como se muestra aquí abajo, lo que asegura que
las esquinas queden bien cubiertas.

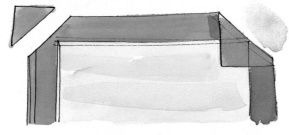

Pero antes de eso, hay que aplicar el pegamento.
Se engoma el primer cartón y se coloca en las
marcas que se habían hecho antes y se aprieta
con fuerza; se da la vuelta y se alisa pasando la
mano sobre la superficie del papel para
comprobar que el pegado ha sido uniforme. Es
mejor hacer esto con una hoja de borrador
limpia para evitar dejar marcas en el decorado
del papel. Se repite el procedimiento para el
segundo cartón. Con una regla puesta sobre la
orilla superior del primer cartón, como se ve
aquí abajo, se coloca exactamente:

Ahora se alínea simplemente el segundo cartón
donde indica la regla y del otro lado de la
marca del lomo y se prensa con un objeto
pesado, después de alisar.

Cuando haya secado el pegamento, se preparan
las esquinas ingleteadas como se señala en el
diagrama central de esta página. Las pestañas de
los cuatro lados se engoman y se doblan hacia
adentro. Se pasa la plegadora de hueso por las
orillas de los cartones del lomo para dar un
buen acabado y para asegurar la adherencia de
las pestañas arriba y abajo.

En el interior se puede colocar un forro hecho
con un papel contrastante, lo que queda muy
bien, pero antes de colocarlo hay que hacer y
pegar las solapas, las cuales se pueden
confeccionar con papel grueso o con cartón
cubierto con papel. Si se elige este método, hay
que tener cuidado en el momento de cubrir las
esquinas anguladas. Cualquiera que sea el
método utilizado, hay que comprobar que la
dirección del grano vaya a lo largo de las

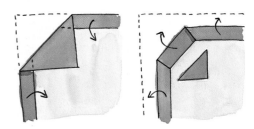

solapas para conseguir dobleces flexibles y
nítidos. Los pasos básicos de este procedimiento
se ilustran en el diagrama:

Primero se dobla hacia adentro la esquina del
papel para hacer una pestaña triangular. Después
se doblan las pestañas laterales. Se corta la
punta del triángulo para que las orillas de las
tres pestañas queden alineadas entre sí. Después
se regresa el papel a su posición inicial doblando

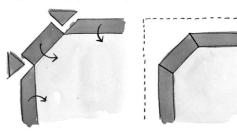

hacia atrás las pestañas laterales y la de la esquina.

A cada lado de las pestañas anguladas los dobleces habrán formado dos triángulos pequeños, los cuales se cortan como se señala en la ilustración anterior. Cuando se vuelvan a doblar hacia adentro, las orillas de las tres pestañas deben encimarse ligeramente; estos empalmes son necesarios, ya que cuando el papel se seque puede contraerse y dejar un hueco. Después de forrar las solapas se pegan en su lugar sobre la carpeta. Luego se colocan los lazos, metiéndolos por unas ranuras que se hayan cortado anteriormente en las cubiertas y se pegan por dentro, en donde quedarán ocultos gracias al forro. Éste se corta en una sola pieza que abarque ambas tapas y el lomo, cubriendo las pestañas de la cubierta externa y dejando una orilla de unos 2 a 3 mm en cada lado. También se puede colocar una tira de papel decorado sobre el lomo y poner el papel de forro dividido en dos partes, dejando libre el centro para que se vea el interior del lomo. Se puede poner un refuerzo sobre el lomo entre las dos tapas, dejando un hueco de unos 4 mm a cada lado. Se pegan las pestañas sobre la tira del lomo, arriba y abajo y se procede a forrar. Para evitar que los documentos pequeños se salgan de la carpeta, se puede poner una bolsa triangular de cartón cubierto con papel que sea rígida, como se ilustra más abajo. Para ello, hace falta cortar un triángulo de cartón y dos tiras estrechas para los lados. Se montan los laterales y las cubiertas con una sola hoja de papel y se dejan dos solapas por donde se unirá la bolsa al forro de la carpeta. El lado largo del triángulo tendrá una pestaña en la orilla y se debe de forrar por dentro para contrarrestar la posible deformación.

Las solapas son una alternativa factible al bolsillo interior. El grano del papel debe estar siempre a lo largo de cada una de las solapas. En este ejemplo, una solapa externa con el borde recto oculta las esquinas anguladas de las solapas superior e inferior. La construcción básica se muestra en el diagrama (derecha). Las cintas negras se colocaron a través de unas ranuras de la cubierta y se sujetaron por dentro con pegamento PVA, antes de colocar el forro de la carpeta.

DISEÑOS PARA EXHIBIR

Las hojas de papel que ostentan una decoración llamativa requieren solamente del marco de un simple cartón blanco para ser exhibidas a su mayor lucimiento. Estos ejemplos deben su impacto a un color audaz que fue sometido a una sutil graduación de intensidad. La pieza del extremo izquierdo (encima del extintor de incendios) se estrujó formando una pelota y después se extendió ligeramente para ser rociada con color en uno de los ángulos, con la ayuda de una brocha de aire. Cuando secó la pintura, se alisó un poco más —pero sin llegar a aplanarla— y se montó sobre un cartón blanco. Los otros ejemplos se fundamentan en secciones dobladas geométricamente que contrastan con un estrujado hecho al azar. Los cuatro paneles constituyen, todos juntos, una progresión pausada en la que los pliegues en zigzag abarcan cada vez una mayor superficie del papel.

ENCUADERNACIÓN DE LIBROS

El arte de encuadernar es más antiguo que la imprenta. Más allá de su finalidad práctica de conservar la información importante, la encuadernación tiene la capacidad de proporcionar belleza y dignidad a las páginas que se guardan dentro de unas cubiertas simples o ricamente decoradas.

Las técnicas empleadas en la formación, la envoltura y la decoración de un libro son infinitas, pero siempre es posible abordar los métodos más sencillos empleando un mínimo de equipo fácilmente asequible, incluso si jamás se ha hecho ningún trabajo cercano a la encuadernación.

En este caso, la mejor idea sería empezar con la forma más elemental, que consta de una sola sección de papel y para la cual solamente se requiere una sencilla cubierta blanda y un mínimo de cosido.

Después se puede progresar hacia un libro de varios cuadernillos, llamado también «papillon», en donde se requiere una técnica de cosido más complicada para sujetar las distintas secciones y unirlas a la cubierta. Por otra parte, se puede probar suerte con el asombrosamente sencillo libro estilo acordeón sin cosido, confeccionado con una sola hoja de papel muy larga o con varias hojas unidas entre sí.

En la siguiente sección también se dan las indicaciones de cómo hacer libros al estilo japonés, en los que las hojas individuales, y no dobladas en pliegos, se cosen a las cubiertas.

Una versión más robusta de este tipo de libro se puede transformar en un álbum, siempre y cuando se utilice un papel más pesado y se le pongan unas tiras suplementarias en el lomo, entre cada hoja, para colocar fotografías, programas de teatro y otros recuerdos que se quieran conservar.

Una vez que se dominen los métodos de cosido que hacen falta para confeccionar libros con cubiertas blandas, se puede pasar a los que llevan la cubierta dura. Éstos son mucho más fáciles de formar que lo que cabría esperar, ya que los principios son similares a aquellos que se aplicaron para forrar cajas (descritos en las páginas 98-99). Las cubiertas duras constituyen un vehículo excelente para aplicar los papeles decorados que se han hecho en casa o los adquiridos en las tiendas.

Este capítulo muestra la manera de confeccionar una amplia variedad de libros diferentes, tanto con cubiertas blandas, como con cubiertas duras, pero sin embargo, no aborda los métodos más complejos que emplean los encuadernadores profesionales para empastar libros muy gruesos. Ese tipo de libros requiere una gran habilidad y posiblemente una mayor familiaridad con la encuadernación, pero cuando se ha logrado dominar los procedimientos básicos, vale la pena tener en cuenta que existen obras completas dedicadas al arte de la encuadernación con las que se puede desarrollar y profundizar en las técnicas a las que será introducido el lector en las siguientes páginas.

LIBROS SENCILLOS

Las herramientas y materiales que aparecen a continuación sirven para cualquiera de los métodos descritos en las siguientes páginas referentes a la confección de libros con cubiertas blandas. Los artículos adicionales que se necesitarán, si se decide hacer libros con cubiertas duras, aparecen relacionados al final.

Material:

Papel de cualquier tipo, pero no demasiado grueso para empezar. Para conseguir efectos variados, experimentar con papeles mecánicos, de molde, hechos a mano o japoneses.
Cuchilla fuerte para cortar cartón; escalpelo
Borde recto
Tijeras
Superficie para cortar
Aguja con ojo pequeño, pero con espacio suficiente para enhebrar el hilo que se va a usar; se pueden comprar agujas especiales para encuadernación
Hilo —el lino es mejor que el hilo que se usa normalmente en costura, puesto que éste es muy delgado y puede cortar el papel
Compás
Escuadras de delineante o de carpintería
Papel encerado o de polietileno para evitar que pase la humedad de las cubiertas engomadas a las páginas del libro
Tablas para prensar
Papel para usar como borrador
Pegamento PVA; mezcla engrudo-PVA
Brochas para aplicar el pegamento. Pincel plano de pintor o pincel sintético de acuarela para los lugares pequeños
Objetos tridimensionales para impresionar o estampar en relieve, como cuerdas, letras recortables y hojas de árbol
Barrena
Cartón de 1-1,5 mm de espesor; millboardŸ, u otro cartón para encuadernar

Para los libros de cubierta dura también hace falta:

Papeles decorados para la cubierta y las guardas
Papel resistente para el lomo y las esquinas
Muselina (tela de malla para reforzar que utilizan los encuadernadores), lino delgado o calicó

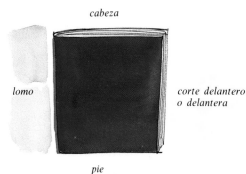

cabeza

lomo

corte delantero o delantera

pie

Una buena introducción a las técnicas básicas de encuadernación que requieren un mínimo de cosido es un libro sencillo hecho con un solo cuadernillo, con cubierta blanda tipo envoltura, pegado por medio de pestañas y solapas.

El primer paso es doblar y cortar el papel para el libro en sí. El formato del libro dependerá de la dirección del grano que presente el papel. Para ver las posibilidades de los diferentes tamaños, se prueba doblando una hoja de papel a la mitad, vertical u horizontalmente según el grano; después se vuelve a abrir y se dobla cada mitad otra vez a la mitad y así sucesivamente. Si después se dobla la hoja del otro lado, a lo ancho del grano, se podrá ver el tamaño final de la página.

La sección o cuadernillo de papel se puede formar de dos maneras. El primer método

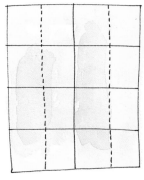

consiste en doblar y es más adecuado para las hojas grandes y cuando no se está trabajando

con un tamaño específico de libro. El segundo método, en el que se usan hojas ya cortadas, es más apropiado cuando se sabe exactamente qué tamaño y forma tendrá el libro, o cuando se trabaja con hojas demasiado pequeñas o demasiado gruesas para doblarlas más de una vez. Este método permite igualmente mezclar los papeles en el cuadernillo, ya sea para tener una variedad de texturas, como papel de seda alternado con papel grueso, o para hacer contrastes de colores.

Método 1

Se dobla el papel en mitades, cuartos u octavos, etc., hasta obtener el tamaño requerido, recordando mantener el lomo paralelo a la dirección del grano para evitar que se formen arrugas en los dobleces. De esta manera se puede hacer un cuadernillo completo con una sola hoja de papel (cortada por los lados para formar las páginas), pero se pueden colocar varias hojas dobladas, una dentro de otra, para hacer un cuadernillo más grande. Pero, si el papel abulta mucho, hay que evitar insertarle muchas hojas, ya que el grosor excesivo de las páginas centrales influye en el grosor final y en que las hojas sobresalgan más o menos por la delantera.

Cuando se ha conseguido el tamaño y la forma del cuadernillo, se corta la orilla doblada de la delantera (y del pie, si es necesario) y de la cabeza, casi hasta llegar al pliegue o «canal» central. Ello permitirá tener las páginas juntas para coserlas y cortarlas, pero también para darles suficiente movimiento a fin de que se asienten cómodamente, sin que se formen arrugas en el abultado pliegue central.

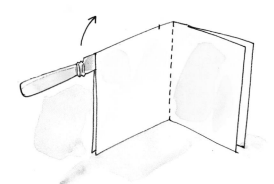

Método 2

Con este método el papel se corta previamente al tamaño y el único pliegue que habrá que hacer será el del canal central.

Se examinan las posibilidades de forma y tamaño sobre una hoja suelta, con cuidado de doblar en dirección al grano. Se corta el papel al tamaño requerido y se dobla a la mitad para formar las páginas, con la ayuda de una plegadora de hueso. No hay que aplicar una fuerza excesiva porque el papel podría estirarse, quedar marcado e, incluso, arrugarse; en su lugar, hay que alisarlo con firmeza hacia afuera y a lo largo. Cuando se utiliza papel grueso, habrá que predoblar el pliegue; pero cuando no, el predoblado no es necesario.

Cualquiera que sea el método empleado para armar el cuadernillo, tendrá que asegurarse cosiéndolo. En el pliegue central se punza previamente un número non de agujeros equidistantes (un libro pequeño, como de tamaño A5, posiblemente necesite sólo 3 agujeros, mientras que uno de tamaño folio grande puede necesitar unos 7 o 9).

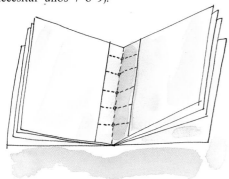

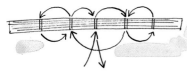

Las distancias para los agujeros se pueden medir con una regla, pero es más fácil hacer una tira medidora con un trozo estrecho de papel que sea del mismo largo que el cuadernillo; se dobla a la mitad y de nuevo a la mitad, y así en adelante, hasta sacar el número correcto de puntos necesarios.

Doblar a la mitad a lo largo; colocar la «V» dentro del pliegue central y punzar atravesando la tira medidora y el cuadernillo, mientras se sujeta la tira en su lugar con un clip, una pinza, o un alfiler, colocado en el primer agujero, si fuera necesario.

Se toma un poco de hilo de aproximadamente dos y media veces el largo del pliegue central y se enhebra. Para evitar que el hilo resbale y se pierda, se pasa la aguja por el extremo corto del hilo, en lugar de hacer un nudo, lo que agrandaría el agujero.

Se quita la tira medidora y se cose, trabajando firmemente desde el centro y tirando del hilo en dirección hacia uno, para evitar rasgar el pliegue. Se empieza a coser desde el exterior del cuadernillo hacia el interior, pasando la aguja por el agujero central, y continuando tal como se muestra en el diagrama de la izquierda.

Después de coser, se anudan los extremos del hilo con un nudo marino sobre la puntada larga del centro.

Ahora será necesario recortar o desbarbar la cabeza, el pie y la delantera, para acicalar las orillas, asegurándose de conservar los ángulos rectos que dan al libro su forma perfectamente a escuadra. Para la delantera, se mide y se marcan suavemente dos puntos equidistantes desde el pliegue central, o lomo, a la delantera. Con unas escuadras de delineante o de carpintero, se marcan unos puntos o líneas rectas para desbarbar la cabeza y el pie, formando un ángulo recto con el lomo y la delantera.

Teniendo estos puntos como guía, se cortan las tres orillas con una cuchilla en posición vertical contra un borde recto, recortando con cuidado dos o tres páginas al mismo tiempo, sin que se mueva el libro, al que se le puede poner un objeto pesado encima.

En el caso de los libros de un solo cuadernillo se puede hacer una sencilla cubierta de envoltura que no necesita coserse, sino que simplemente se arropa o se entreteje con la primera página del libro. Se mide un trozo de papel grueso que puede ser de color, decorado o laminado, el cual debe tener la misma altura que el cuadernillo, pero tres veces su ancho.

Se dobla el papel a la mitad y, si es papel rígido o cartón, se pasa la plegadora de hueso. Si el cuadernillo es grueso, se toma en cuenta lo que se llevará el lomo, señalando el ancho en el papel de la envoltura con dos líneas paralelas que se doblan. Se coloca el lomo del cuadernillo contra el pliegue central del papel y se marca hasta dónde llega la delantera. Se doblan las solapas hacia adentro cubriendo la primera y la última hojas del libro.

Si se quiere una cubierta más sólida y segura, se deja más papel de la cubierta, tanto a lo largo

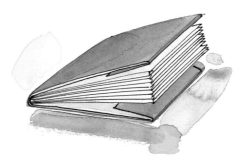

como a lo ancho, y se dobla hacia adentro por el pie y por la cabeza para enganchar con la solapa de la delantera. Se corta un pequeño saque en forma de V en la cabeza y en el pie junto al lomo para que el papel adquiera una mayor rigidez.

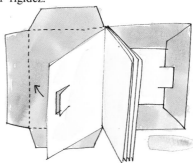

Una variante decorativa consiste en atravesar la página de cortesía, o primera hoja del cuadernillo, a través de la cubierta. Se hace una plantilla para el diseño que sea del mismo tamaño que el libro y se emplea para cortar primero la cubierta y después la página de cortesía, de modo que queden alineadas todas las ranuras por las que pasará esa primera página.

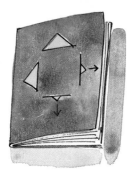

Otra posibilidad es envolver con dos hojas de color el exterior del cuadernillo antes de coser; después se atraviesan por la cubierta para formar un patrón de colores contrastados. A estas hojas se las denomina guardas y aparecen a ambos extremos del libro; son distintas a la página de cortesía, la cual se deja en limpio. Si no se desea entretejerlas con la cubierta, se pueden dejar como una agradable transición entre la cubierta y el cuerpo principal del libro.

Es posible hacer libros con hojas sueltas de papel, en lugar de cuadernillos doblados, empleando un método basado en la encuadernación japonesa. El papel japonés es el más adecuado para estos libros, ya que es más suave y flexible que el occidental; se puede usar doble, es decir, con el doblez en la delantera, y cosido por el lado del lomo.

También se pueden hacer las cubiertas con un papel de colores más grueso, o con papel delgado —doblado por las orillas— de una hoja del mismo tamaño que el libro y pegada solamente por las vueltas. Después se cubre con un papel que complementa el libro y la cubierta. Generalmente queda guarnecido por los bordes, dejando el resto de la superficie más flexible que si se hubiera pegado toda la cubierta.

Se arma el conjunto de hojas que se van a pegar sosteniéndolas con dos trozos de cartón y agitándolas para alinearlas, golpeándolas contra una superficie plana. Uno de los lados será el lomo. Se golpea la cabeza y de nuevo el lomo. Se sostienen las hojas con los dedos y se golpea la cabeza hacia abajo sobre una superficie plana. Se gira con cuidado y se golpea el lomo, para

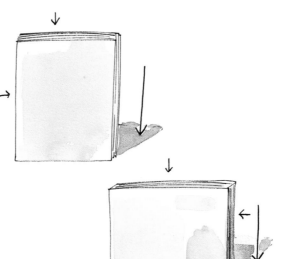

después dejar las hojas planas con un objeto pesado encima mientras se hacen las marcas para la costura.

Se señala una serie de puntos equidistantes al menos a medio centímetro del lomo y con una separación entre ellos no menor a un cm. Se deja el libro apoyado, ya sea sobre un ángulo recto o un borde recto, siempre con el peso encima. Se hacen los agujeros en los puntos señalados utilizando una punta afilada o una barrena. Se hacen unas costuras provisionales entre los agujeros para sujetar el libro como un bloc; después se desbarban los bordes, cortando pocas hojas a la vez y sosteniendo la cuchilla en forma vertical apoyada en la regla. Se cortan dos cartones para las cubiertas que coincidan con el tamaño del bloc y se forran al gusto. Se marcan, usando una hoja como plantilla, para que los agujeros de las costuras y los bordes de las hojas coincidan con las cubiertas.

Se cosen juntos el libro y las cubiertas empleando sedas de colores o hilos para bordar si se desea que las costuras resulten atractivas. El hilo debe de tener tres veces la longitud del libro, más aproximadamente 30 cm para que sea fácil manejarlo. Se cose desde un extremo del libro con una puntada corrediza hasta llegar al otro extremo; después se pasa el hilo por encima del lomo y se regresa por el mismo agujero. Entonces se hace una puntada en ángulo recto respecto a las puntadas corredizas, como se aprecia en el diagrama de abajo.

Para acabar, se quita la aguja y se pasa el hilo por la cabeza y el pie, para que los dos extremos sueltos se unan. Se atan con un nudo marino cerca del agujero más cercano y después se mete el hilo para que el nudo quede oculto en el lomo. Se corta el hilo por fuera, cerca del agujero.

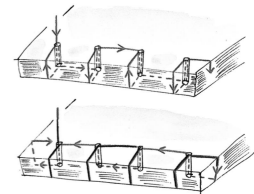

Si la cubierta parece abrir con dificultad, se hace un doblez con la plegadora de hueso a unos 3 o 4 mm de los agujeros.

Álbumes

Se puede hacer una versión más robusta de este libro para servir como álbum, poniendo en el lomo unas tiras adicionales o «salvaguardas» entre cada página, para compensar el peso de las fotografías o de lo que se vaya a pegar allí. Se utiliza entonces un papel de mayor peso y a cada hoja se le hace un doblez en el lado del lomo. Se dejan 2,5 cm para el lomo, más otro centímetro para proporcionar lo que se va a perder con la abertura. Si se va a poner una cubierta más rígida, habrá que dejar un hueco generoso entre la tira del lomo y la cubierta, para facilitar la flexibilidad en la unión (ver la página 135, en donde se describe el mismo método para hacer carpetas).

Quizá sea necesario usar una perforadora de papel o hacer unos agujeros con un taladro de mano. También se puede usar cordón para pasarlo por los agujeros, los cuales deben ser lo suficientemente grandes para que pase el cordón sin dificultad. Este método permite quitar o poner hojas según se desee.

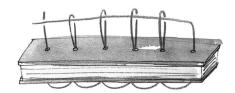

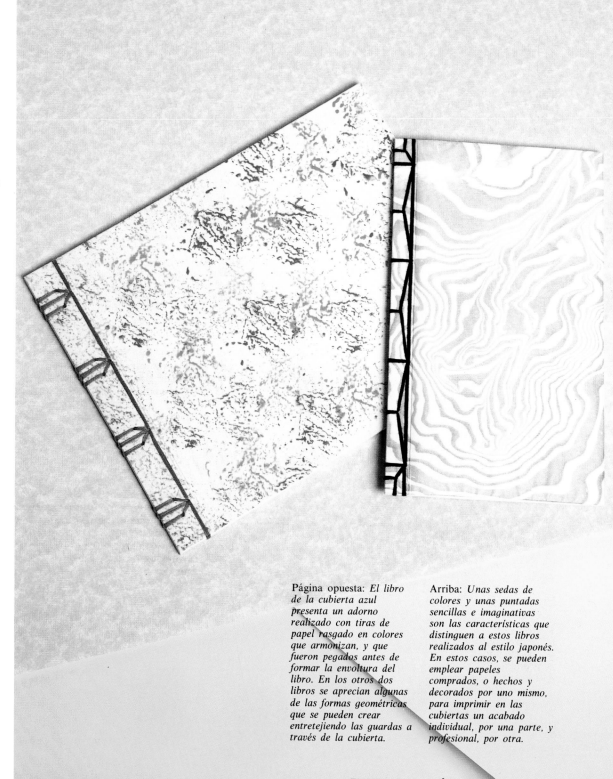

Página opuesta: *El libro de la cubierta azul presenta un adorno realizado con tiras de papel rasgado en colores que armonizan, y que fueron pegados antes de formar la envoltura del libro. En los otros dos libros se aprecian algunas de las formas geométricas que se pueden crear entretejiendo las guardas a través de la cubierta.*

Arriba: *Unas sedas de colores y unas puntadas sencillas e imaginativas son las características que distinguen a estos libros realizados al estilo japonés. En estos casos, se pueden emplear papeles comprados, o hechos y decorados por uno mismo, para imprimir en las cubiertas un acabado individual, por una parte, y profesional, por otra.*

UNA ALTERNATIVA ORIGINAL

Se trata de una forma sencilla de libro tipo oriental que no sólo constituye un regalo atractivo y divertido, sino que también puede ser particularmente útil para registrar y almacenar determinado tipo de información, por ejemplo, mapas, esquemas, tablas; cualquier cosa que abarque varias páginas, ya que el acordeón se puede desplegar y ofrecer a la vista varias páginas a la vez, y también poner juntas dos o más páginas de diferentes secciones del libro. Este libro tipo acordeón o zigzag se puede hacer con una hoja de papel larga, pero para un libro que tenga algo más que unas cuantas páginas, habrá que unir varias hojas (hay que recordar unirlas según la dirección del grano). Una forma ingeniosa de hacerlo es cortar y doblar el papel como se hizo para los libros de un solo cuadernillo, y después guarnecer las orillas e insertar los dobleces alternativamente.

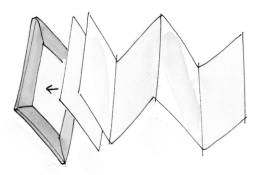

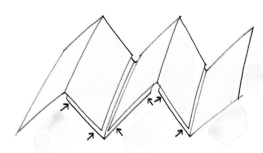

Hay que cerciorarse de que todas las hojas dobladas queden paralelas por la delantera con el lomo y que todas sean exactamente del mismo ancho. Se unen las hojas con fuerza y se desbarban la cabeza y el pie en ángulo recto respecto a las orillas dobladas.

Para hacer unas cubiertas muy sencillas, que estén pegadas a la primera y última páginas del acordeón, se forran dos cartones delgados con papel decorado, doblándolo por los cuatro lados. Se inserta una hoja de papel borrador debajo de la primera hoja del libro. Se pega la página de cortesía y se coloca el cartón encima con mucho cuidado. Esto se repite con la segunda hoja y el cartón y después se dejan secar, protegiendo el libro de la humedad con hojas de papel encerado o polietileno a ambos lados.

Otra forma posible es hacer una cubierta más integrada y refinada con cartones decorados, la cual da un aspecto muy profesional, pero que en realidad es asombrosamente fácil de confeccionar. El papel con que se va a forrar puede ser un papel decorado comprado o hecho en casa. Si resulta que es demasiado delgado, se le puede dar una textura antes de forrar los cartones con él. Se puede conseguir un acabado muy interesante estampando un relieve (es preferible un altorrelieve a un bajorrelieve). Ello se logra humedeciendo un papel resistente, de preferencia hecho a mano, y oprimiéndolo sobre un molde realzado pegado en un trozo de madera. Una cuerda cubierta con pegamento PVA y rociada con spray de silicona para evitar que se pegue, puede producir un efecto insólito que recuerde los elementos decorativos celtas o nórdicos. Hay que recordar que si se emplea un papel con un motivo central o una sección decorada, debe ser cuidadosamente colocado para que el diseño quede centrado de forma correcta en relación con la cubierta.

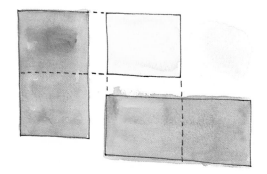

Se cortan dos cartones delgados al tamaño del libro y dos piezas de papel de forro para cada cartón: una pieza lisa del mismo ancho que el cartón, pero del doble de altura (B), y una pieza decorada de la misma altura que el cartón, pero del doble de ancho (A).

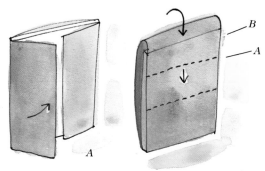

Se envuelven las piezas A, alrededor de cada cartón, con cuidado de acomodar correctamente el motivo decorativo, si lo hubiera. Se unen los

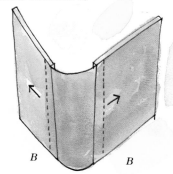

dos cartones con una tira del mismo papel, colocada a través de ellos para formar el lomo y se pegan los traslapes hacia adentro sobre las envolturas A, las cuales serán cubiertas finalmente por las envolturas B, como se muestra aquí arriba. (Si se trata de un libro grueso, se hace un pliegue en el lomo.) Se pliegan las segundas piezas, B. Se envuelve cada una a lo largo, alrededor de uno de los cartones, plegando las solapas dentro de las ranuras entre el lado continuo de la envoltura A y el cartón, como se ve en el diagrama (arriba derecha).

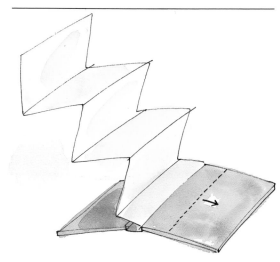

Para cerrar el libro, se inserta el acordeón por las hojas de los extremos Y y X, dentro de la envoltura que queda entre las capas del papel de forro.

Un atractivo diseño en espiral, que se consiguió realzando el papel con una cuerda cuidadosamente colocada, recuerda ingeniosamente la forma de acordeón que guarda el libro dentro, además de añadir interés a una cubierta lisa.

LA ELEGANCIA DE LOS LIBROS EN RÚSTICA

Cuando se trata de un libro más grueso o con más páginas de las que se pueden hacer con un solo cuadernillo, se pueden unir dos o más cuadernillos con una costura. Este método puede parecer complicado al principio, pero la práctica contribuirá a dominarlo.

Método para libro de dos cuadernillos

Se doblan dos cuadernillos (empleando cualquiera de los métodos descritos en las páginas 140-141) con tres o cuatro hojas dobladas por cuadernillo, dependiendo del grosor del papel y del tamaño del libro que se quiere confeccionar. Se puede utilizar cualquier papel, pero el papel para escribir o el tipo cartridge, por ser más resistentes, resultan ser los más adecuados, cuando menos para empezar a practicar.

Una vez armados los cuadernillos, se señalan los puntos de costura usando el método de la tira medidora que se explica en la página 141. Se mide el hilo y se fija como antes. Después se cose como se indica abajo:

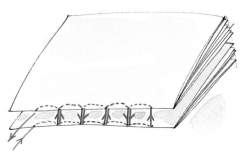

El color rojo muestra la trayectoria de la primera pasada de costura; el verde muestra el recorrido de regreso del hilo, que va rellenando las puntadas faltantes y refuerza las que unen los cuadernillos entre sí.

Coser, empezando desde el lado de fuera del primer cuadernillo y yendo del primero al segundo agujero del interior formando una puntada; otra vez hacia afuera y arriba a través del agujero paralelo del segundo cuadernillo, se hace la puntada y se regresa al agujero paralelo de la primera sección. Se continúa hasta el final de la hilera y después se regresa, rellenando las puntadas que faltaron en la trayectoria de ida. En el primer y último agujeros se atan los dos

extremos del hilo con un nudo marino por el lado de afuera.

Se puede hacer una cubierta de envoltura para el libro de dos cuadernillos, exactamente igual a la del libro de un cuadernillo, pero en este caso, ya que se tienen más páginas, es preciso hacer un lomo con doble plegado para dar cabida al ancho del lomo del cuadernillo. Se podría envolver una hoja suelta de papel alrededor de los cuadernillos y usarla como plantilla para el papel de la cubierta.

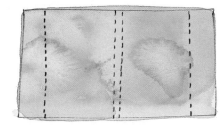

Se doblan hacia adentro las solapas internas sobre la primera y última hojas del libro, o se ponen unas guardas que hagan juego o contrasten con el papel de la cubierta:

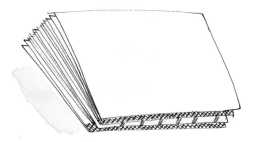

Éstas se pueden guarnecer en los bordes del lomo, pegando el cuadernillo en lugar de la guarda, o se puede sujetar la cubierta empleando el método que se sugiere para los libros con un solo cuadernillo en las páginas 141-142.

Método para libro de varios cuadernillos

El método de costura para este tipo de libro es particularmente útil en caso de tener cuatro o más cuadernillos. El número de los puntos de costura será par y dependerá del tamaño del libro. Al igual que en el libro de dos cuadernillos, cada sección está cosida a la otra y unida por el exterior mediante una puntada de enlace en cada punto de cosido.

Se dan golpecitos a los cuadernillos en el lomo y la cabeza; se señalan los puntos de costura, marcando el primero a unos 10 mm de la cabeza y el segundo a unos 12 mm del pie. (En el pie se deja un espacio mayor que en la cabeza porque más adelante se cortarán las posibles irregularidades de las hojas por la parte de abajo.)

Se miden dos, cuatro o seis puntos equidistantes entre los agujeros de los extremos. Se calcula el largo del hilo multiplicando la distancia que haya entre dos agujeros por ocho y agregando unos 30 cm para trabajar sin dificultad. Al contrario de los otros métodos de costura, se enhebra una aguja a cada extremo del hilo. El hilo se asegura como se ha explicado anteriormente y se empieza el primer cuadernillo pasando las agujas a través de los agujeros adyacentes por pares, desde el interior del primer cuadernillo hacia el exterior.

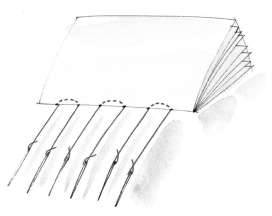

Se coloca el siguiente cuadernillo encima y después se pasan los hilos a través de los agujeros correspondientes del segundo cuadernillo, de afuera hacia adentro. Se cruzan los hilos en el interior del cuadernillo y se pasan de nuevo por los mismos agujeros.

Se coloca encima el tercer cuadernillo, se pasan las agujas por los agujeros correspondientes, se cruzan en el interior del cuadernillo y de nuevo sobre los agujeros, y así sucesivamente, hasta que todos los cuadernillos queden unidos.

Se notará que el primer cuadernillo que se cosió no quedó tan firme como los otros. Para unirlo, se pasa la aguja por detrás de las puntadas de enlace, uniendo los cuadernillos, empezando por la parte de arriba y cosiendo hasta el fondo, o hacia el primer cuadernillo que se cosió, como se aprecia en el diagrama de abajo.

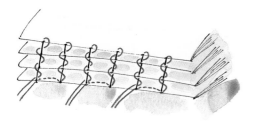

Para acabar, se pasa una aguja por el agujero del primer cuadernillo y se saca en el siguiente agujero que queda a lo largo para unir los dos extremos del hilo, lo cual se puede hacer con un nudo marino.
A este libro se le puede poner una cubierta flexible sin pegamento, tipo envoltura, semejante a la que se utilizó para cubrir el libro de dos cuadernillos, pero, como tiene más cuadernillos, sería recomendable poner unas guardas para mayor protección, las cuales se guarnecen al frente y atrás. Por otra parte, se puede hacer una cubierta dura como la que se describe en las páginas 150 a 152.

Cubierta blanda cosida al libro

Este antiguo sistema occidental de encuadernación que data del siglo XVI es aún muy popular en la actualidad, especialmente entre los conservadores. Es característico por el uso de papeles de gran calidad, hechos a mano, como se puede ver en el ejemplo de la página 149, con su cubierta de pesado papel inglés elaborado con fibras de lino.
Se pueden poner tantos cuadernillos como se desee, aunque unos cinco o más cuadernillos harán que destaque el diseño del cosido en el lomo. Se forman los cuadernillos y se desbarban, como se ha venido haciendo. Se podría desbarbar solamente la cabeza del libro, dejando la delantera y el pie sin recortar, o con un acabado tosco para que se vean las orillas barbadas del papel hecho a mano, o también para dar un acabado insólito al papel mecánico o al de molde. Si se van a dejar los bordes desiguales, se puede proteger el libro guardándolo de lado para que no se dañe, en lugar de hacerlo de pie. Las orillas que sí necesiten desbarbarse, deben recortarse ahora, ya que los agujeros de la costura tendrán que estar bastante cerca de los bordes para unir firmemente el libro con la cubierta.
Se perforan los agujeros para coser a un cm de los bordes, mientras los otros puntos quedan equidistantes.

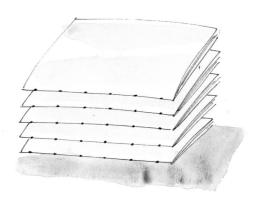

Se mide el papel para la cubierta, según las dimensiones de los cuadernillos y, para el lomo y las vueltas, se dejan aproximadamente 5 cm

en la cabeza y en el pie y unos 6,5 cm en la delantera.

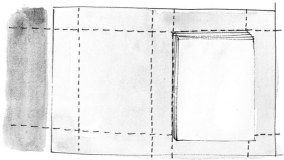

Estas medidas en realidad sólo son una guía, puesto que dependen de los gustos de cada persona, aunque no conviene hacer las vueltas demasiado estrechas porque resultarán difíciles de manejar.
Los cuadernillos se comprimen ligeramente, poniendo pesos encima si es necesario, y después se mide el ancho del lomo. Hay que tomar en consideración el muelle natural del papel: si el lomo está demasiado comprimido, el libro puede tomar forma de cuña en cuanto el aire quede atrapado entre las hojas.
Sería conveniente en este momento hacer una especie de plantilla y marcar sobre ella los puntos de costura y la distancia entre los cuadernillos (la cual puede ser considerable si se está utilizando papel hecho a mano o cuadernillos voluminosos). Se copian los puntos

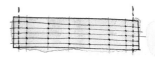

de costura de la plantilla en el papel de la cubierta, ya que éste envolverá el libro durante el cosido, indicando con líneas paralelas de marcas de alfiler el ancho del lomo y de cada cuadernillo.
Se perforan unos puntos en la cabeza y en el pie para las vueltas. Se debe dejar un pequeño saliente llamado «cajo» que sobresalga unos 2-3 mm por la cabeza y el pie de las hojas para protegerlas del polvo y del deterioro.

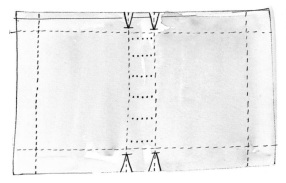

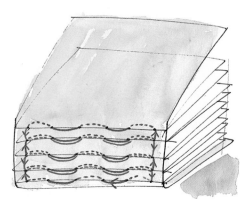

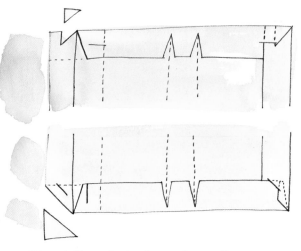

puntadas que faltaban y terminando en el agujero de la cabeza o del pie del primer cuadernillo, junto al punto inicial A.

Se puede adoptar un método antiguo («yap») para proteger el libro dejando la orilla de la delantera más larga para que doble encima de la cubierta. Para hacer esto se añade un cm al ancho de la cubierta por ambos lados.

Se dobla la cubierta en las uniones del lomo para que corresponda con el ancho del libro en el lomo. Se dan dos mm más para dejar que el movimiento de la cubierta quede separado del movimiento del papel.

Será necesario predoblar el papel grueso en cada punto por donde más adelante se va a plegar.

Se cortan unos pequeños saques en forma de V sobre las vueltas del lomo hasta donde llegue el «cajo».

Se enhebra una aguja con un trozo largo de hilo de lino; la cuerda número 35, de grosor mediano, es probablemente la más adecuada. Los cuadernillos se ponen en posición plana a la orilla de la mesa y se empieza a trabajar con el lomo. Coser dentro del primer cuadernillo saliendo por el punto A (el segundo agujero a lo largo) en el exterior de la cubierta. Se hacen puntadas corredizas a lo largo del primer cuadernillo. Cuando se llegue al final, se coloca el siguiente cuadernillo encima y se pasa la aguja desde el exterior del último agujero cosido, al agujero del nuevo cuadernillo que está inmediatamente encima de éste. Se cose el segundo cuadernillo a todo lo largo y se siguen poniendo los demás cuadernillos de la misma manera. De este modo, la cubierta queda unida al mismo tiempo que se van cosiendo los cuadernillos. Cuando se llegue a la parte de arriba, se emprende el regreso rellenando las

Si se acaba el hilo, se añade otro tanto haciendo un nudo de tejedor que quede dentro del cuadernillo, en lugar de quedar dentro de una puntada que une un cuadernillo con otro.

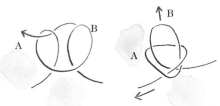

El nudo de tejedor se hace pasando el lazo B detrás del A y luego por en medio, para hacer un nudo deslizante que corra sobre el extremo largo del hilo. Se hace en el hilo antiguo cerca del lomo y se tira de los extremos del hilo nuevo para formar un nudo deslizante muy fuerte. El hilo viejo será arrastrado con firmeza para evitar que resbale.

Terminado el cosido, se pliegan hacia adentro las solapas de la delantera, doblando como antes y pasando la plegadora de hueso contra un borde recto para dar forma al pliegue. Se deja el cajo, tanto en la cabeza como en el pie, de unos 2-3 mm sobresaliendo del bloc de hojas. Se recorta el sobrante de las solapas en la cabeza y el pie.

Existen diversas maneras de meter unas esquinas dentro de otras. Abajo se sugieren dos métodos:

Si se dejó un tanto de papel para formar un yap, se doblan las esquinas hacia adentro, después se pliega y se dobla encima de la

pestaña de 5 mm que se dejó para el yap. También se puede hacer una cubierta blanda, la cual se guarnece con un lazo sobre un libro de varios cuadernillos después de coserse. La técnica es ligeramente más complicada que las que se han explicado, pero es la que más emplean los encuadernadores experimentados. Este método consiste en coser el libro sobre unas cintas que después se guarnecen pasando por unas ranuras de la cubierta y se atan, o se les pone una hebilla en la delantera. En las páginas siguientes se explica cómo hacer libros con cubiertas duras, desde con un cuadernillo, hasta con varios de ellos, sin embargo, conviene saber que estos últimos deben de coserse sobre cintas para que adquieran mayor fuerza.

Estos elegantes libros han sido confeccionados con papel de alta calidad, hecho a mano. Conviene recordar que los realces y la decoración deben realizarse antes de colocar la cubierta.

CUBIERTAS DURAS SENCILLAS

Es muy posible que haya personas que prefieran la sensación más permanente y lujosa que dan las cubiertas duras, las cuales, además de proporcionar mayor resistencia y protección, constituyen un regalo realmente especial.

Los sistemas de cosido de los cuadernillos para este tipo de libros son los mismos que los que se emplean para los de cubiertas blandas, pero, a cambio, las cubiertas duras proporcionan una buena base para lucir los papeles que uno mismo ha decorado. Se pueden adaptar las técnicas de forrado que se usan para las cajas y seguir las reglas establecidas sobre la dirección del grano, las distintas clases de adhesivos y los resultados de pegar papel sobre cartón.

Un libro de cubiertas duras consta de dos partes que se pegan una a otra: el bloc de hojas que da cuerpo al libro y la cubierta.

Libros de un cuadernillo

Se prepara un cuadernillo siguiendo las instrucciones de las páginas 140-141. Las guardas pueden estar dobladas alrededor del cuadernillo antes de coserse, o pegadas (a un ancho de 6 mm) y guarnecidas a lo largo del lomo.

La delantera se prensa y se desbarba para que quede paralela al lomo. La cabeza y el pie se desbarban a escuadra, o sea, en ángulo recto respecto al lomo. Se corta una banda de muselina, calicó atiesado o lino fino, un poco más corta que el largo del libro y 5 cm más ancha y se dobla por la mitad a lo largo. Se pega sobre el cuadernillo a unos 2,5 cm del lomo, por el frente y por detrás. Después se pega todo esto al lomo.

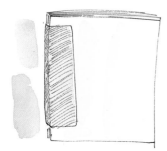

El método de encajonar es el mismo, ya sea

que se hayan cosido las guardas o se hayan guarnecido, aunque con el cosido se ven las costuras en el lomo.

Se cortan los cartones al tamaño del libro con los lados formando un ángulo recto entre sí. Para el largo, se dejan 2 mm más para el «cajo» o pestaña que sobresale por la cabeza y por el pie. Para el ancho, se coloca el cartón a unos 4 mm del lomo (para una unión flexible) y se deja un traslape que sobresalga de la delantera unos 4 mm para permitir que el cartón retroceda un poco cuando esté en uso y para otorgar mayor protección a la orilla más frágil. Estas proporciones se refieren a los libros estándar de tamaños A4 y A5, pero cualquiera que sea el tamaño y la forma del libro que se va a encuadernar, el traslape debe generalmente igualar el grueso del cartón, para asegurar el equilibrio.

El papel para forrar el exterior se corta aproximadamente al tamaño de una doble cubierta, pero se deja un milímetro o un poco más que el ancho del lomo. En el largo se dejan unos 15 mm más para cada una de las vueltas en la cabeza, el pie y la delantera. Se corta un lado largo y otro corto formando un ángulo recto entre sí.

Con la ayuda del compás y de las escuadras se marcan ligeramente dos puntos en el reverso del papel de la cubierta, a unos 15 mm de cada orilla.

Se pega el primer cartón con pegamento PVA y se coloca sobre el papel en los puntos señalados. Se oprime, confirmando que las orillas queden seguras y que no vayan a tirar hacia afuera. Se coloca el libro sobre el cartón con las esquinas de la delantera paralelas (resultará más fácil señalar la posición con el compás). El lomo sobresaldrá del cartón unos 4 mm.

Con el libro bien sujeto, se señala el papel con

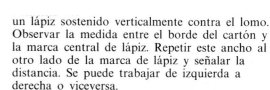

un lápiz sostenido verticalmente contra el lomo. Observar la medida entre el borde del cartón y la marca central de lápiz. Repetir este ancho al otro lado de la marca de lápiz y señalar la distancia. Se puede trabajar de izquierda a derecha o viceversa.

Se pega el segundo cartón, sujetando la regla contra la orilla superior del primer cartón. Se alínea el segundo cartón con la orilla de la regla y contra la marca del ancho y se oprime con fuerza.

Se doblan las esquinas del papel sobre el cartón para determinar el ángulo de corte.

Cortar desde la esquina a este ángulo a una medida igual al grueso y medio del cartón. Si el cartón es de 2 mm entonces se cortan 3 mm hacia dentro de la esquina. Se colocan el papel y los cartones sobre papel borrador, se pegan las vueltas, primero la cabeza y después el pie, y con ayuda de un papel limpio se doblan las vueltas sobre el cartón. Se presiona, con la ayuda de una plegadora de hueso, especialmente en las esquinas. Después se doblan las pestañas de la delantera. Éstas deben ajustarse exactamente, puesto que las pestañas se alisaron muy bien y están alineadas con la orilla del cartón.

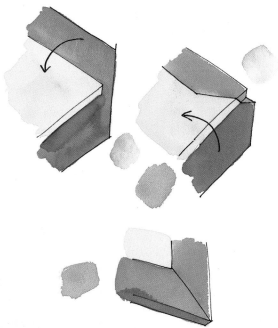

Ahora ya se puede encajonar el libro. Se pliega una hoja de papel borrador debajo de la primera guarda para evitar que el pegamento se filtre al resto del libro. Con la mezcla de engrudo y pegamento PVA (con la cual da tiempo suficiente para trabajar y, si hace falta, ajustar el papel), se pega con cuidado la guarda; después se coloca con el lado pegado hacia abajo en su posición en el interior de la cubierta, con el lomo alineado al hueco que se dejó para que tenga movimiento, como se puede ver en el siguiente diagrama.

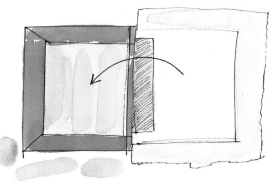

Sin tirar de la guarda hasta atrás, se abre parcialmente el libro para revisar que las esquinas estén alineadas en la cabeza y en el pie y paralelas a la delantera. Se alisa con suavidad para eliminar las bolsas de aire. Se cierra, se engoma la segunda guarda, se quita el papel borrador, se sujeta con las puntas de los dedos de una mano para que el papel engomado no se enrolle. Con el dedo índice y el pulgar sujetando el lomo exterior frente al lomo del libro, se levanta el cartón, poco a poco, para alinearlo con su pareja.

Se oprime suavemente y después se da vuelta el libro para revisar los ángulos, las bolsas de aire y la colocación. Se introduce una hoja de material impermeable en cada extremo, entre el cartón y el libro, para impedir que penetre la humedad del pegamento en el libro. Se prensa toda la noche. Al día siguiente se quita el material impermeable y se aflojan suavemente los cartones por la «bisagra» en dirección al libro, en donde está la unión. El aflojamiento en esta etapa evita que la cubierta se llegue a deformar cuando el libro empiece a ser usado.

Siempre que el libro no resulte demasiado

grueso, también se puede emplear este método en el caso de que tenga varios cuadernillos. Para reforzar el lomo y evitar que los cuadernillos deformen el libro encimándose unos sobre otros, se aplica una capa de pegamento PVA a lo ancho de los cuadernillos, empujando para que penetre bien y oprimiendo a lo largo para que se distribuya de manera regular.

Se prensa entre unas tablas y bajo un objeto pesado hasta que seque. Se desbarba y se aplica la banda de refuerzo de muselina o de calicó, como se hizo anteriormente, y se cortan los cartones para la cubierta. Será necesario poner un refuerzo de papel del largo y del ancho del lomo para dar mayor apoyo. También hará falta poner un endurecedor hecho de cartón que tenga el mismo largo que los cartones y el ancho del lomo del libro, más el grueso de un cartón. Para determinar la posición del endurecedor, colocar el libro sobre el primer cartón; después el endurecedor en posición vertical contra el lomo y señalar el borde de éste sobre el papel de la cubierta. Se quita el libro, se coloca el endurecedor sobre la marca y se señala el ancho. Repetir el ancho común para saber el lugar del otro cartón.

Se engoma el endurecedor, se coloca en el hueco

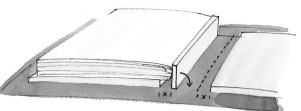

ya marcado del lomo y después se procede como se hizo anteriormente.

Para pegar la cubierta, se engoma una de las guardas y se coloca el libro sobre el cartón. Se sostiene el lomo de la cubierta en posición vertical contra el lomo del libro, haciendo presión sobre la orilla más cercana al libro para mantener el cajo separado.

Si se observa que la guarda se ha estirado en la delantera, se señala otra delantera a escuadra sobre el papel con la ayuda de un compás. La tira que sobra se recorta con cuidado usando la regla y una cuchilla afilada y guiándose por las marcas que se han hecho. En estos casos, es útil colocar una tira de papel encerado en la delantera, sobre el pegamento, antes de doblar los extremos, de modo que si se hace necesario recortar el sobrante, éste se pueda retirar sin dificultad.

Media y cuarta encuadernación

Los fundamentos son los mismos que para la encuadernación completa, aunque los elementos que se utilizan son más pequeños: una banda más delgada en el lomo, en el caso de la cuarta encuadernación, y una banda adicional o esquinas en la delantera para la media encuadernación.

Se cortan los cartones al tamaño deseado, dejando el espacio necesario para el ancho del lomo y para los cajos, como se hizo antes. Se prepara la banda para cubrir el lomo; aquí el ancho es en realidad cuestión de gustos pero, para dar un aspecto bien equilibrado, se deja que asome alrededor de un cuarto del ancho total del cartón. Este ancho se duplica y se le agrega el doble del hueco que se dejó para la unión, más el ancho del endurecedor del lomo. El largo de la banda del lomo será igual al largo de un cartón, más el ancho de las dos pestañas (de las vueltas).

La medida perpendicular de las esquinas será igual al ancho de la banda del lomo que queda visible en la cubierta.

Se pegan los cartones sobre el ancho elegido de la banda que recubre el lomo (como se describe en la página 150). Se doblan las pestañas de la cabeza y el pie. Se cortan en el papel decorado las piezas para hacer las esquinas y los laterales. Se pegan los laterales usando mezcla de engrudo-PVA. Colocarlos con cuidado sobre su lugar, haciéndolos coincidir con la banda del lomo, y recorrer sobre las esquinas, pegando preferiblemente el cartón y no las piezas, para

que coincidan con los laterales. Otra posibilidad sería pegar primero las esquinas del lomo y después aplicar los laterales encimándolos mientras se colocan en su lugar. Doblar las pestañas de la cabeza, el pie y la delantera, prensar y después encajonar el libro, según se explicó anteriormente.

Estas técnicas pueden modificarse, del mismo modo como se hizo para los libros de un solo cuadernillo, para producir encuadernaciones completas, medias o de un cuarto. La variedad de diseños es tan numerosa como la quiera hacer cada persona. Se pueden poner en práctica muchas de las técnicas decorativas como plegar, texturizar, arrugar, etc. sobre los laterales de un libro en cualquier modalidad de encuadernación y producir con ello un surtido inagotable de diseños sorprendentes, imaginativos y, sobre todo, individuales.

Estos tres libros trabajados con media encuadernación comparten, además del esquema de color en azul y blanco, una sensación de serena tradición, a pesar de que cada uno transmite impresiones bastante diferentes. La cubierta con el elaborado tejido de la izquierda requiere mucha paciencia y destreza en su creación, unas características que pueden imitarse, cuando menos a pequeña escala. El efecto llega a modificarse usando distintos colores y texturas para dar pie a un contraste. En el libro del centro se aplicó el método de engrudo y color (páginas 66 a 68) para dar forma a este diseño con aspecto de un caparazón en tercera dimensión; el lazo le da un acabado muy atractivo; se podría imprimir un efecto más llamativo con el uso más audaz de colores contrastantes. También es factible reproducir la imagen de los libros mayores de contabilidad, unos clásicos del pasado, colocando ángulos y una portada decorada con jaspeado, como sucede en el libro de la derecha. Pero si se prefiere un acabado menos formal, habrá que recurrir al método para hacer jaspeados sencillos que se explica en la página 84.

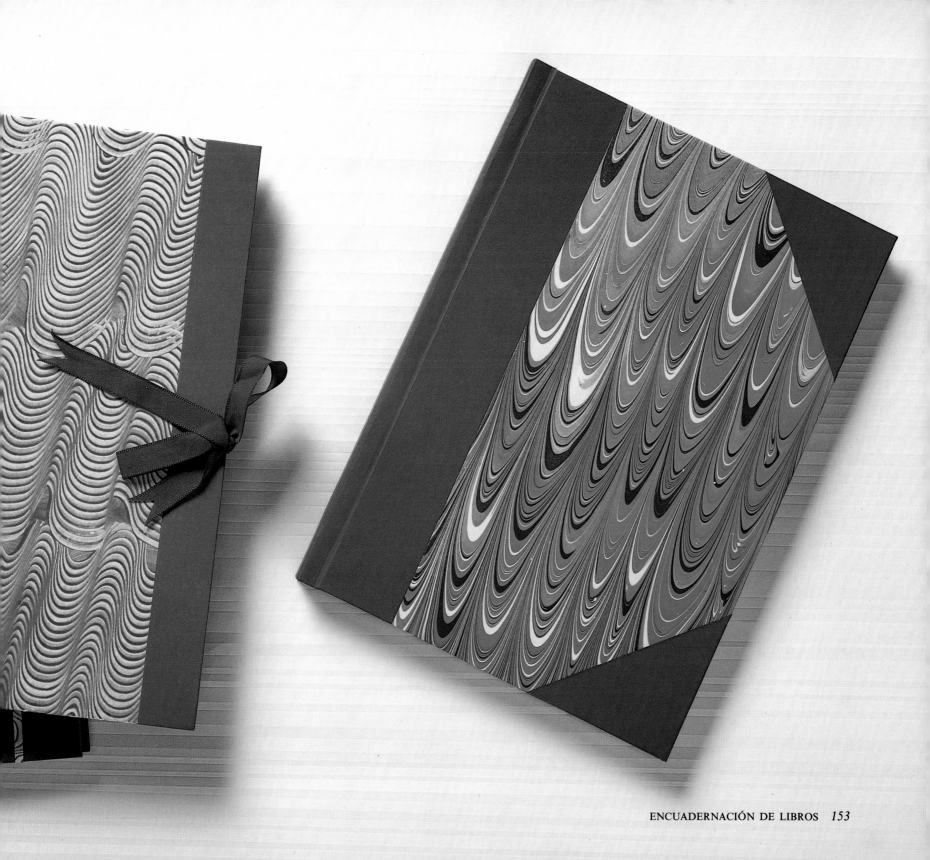

La sencilla estructura de
un libro cosido al estilo
japonés se fotografió desde
dos emplazamientos
diferentes: primero en un
acercamiento a la
delantera, o corte
delantero (en estas
páginas) y, después, en
una aproximación al lomo
(páginas siguientes).
Ambos ángulos muestran
la complejidad de la forma
orgánica y ondulante del
libro, a semejanza de las
laminillas de una seta. El
libro se diseñó como una
forma abstracta y no para
destinarse a ser utilizado
como cuaderno de apuntes.
El efecto que se pretendía
se logró cosiendo —contra
el grano— las hojas de
papel hecho en máquina
con hilo de lino. Después
se dejó a remojar en agua
durante una noche. El
papel se hinchó, pero fue
forzado por la tensión del
hilo, lo que provocó que
se formaran unas
atractivas deformaciones.
Las ondulaciones
permanecieron inalteradas
una vez que secó el papel.

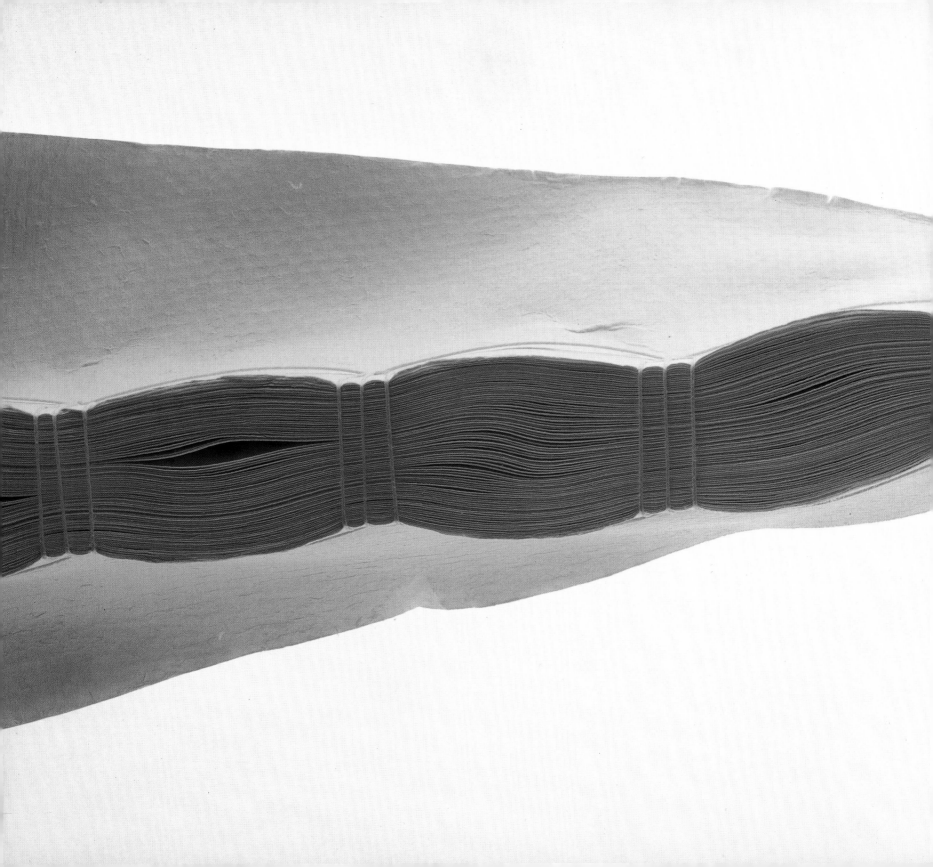

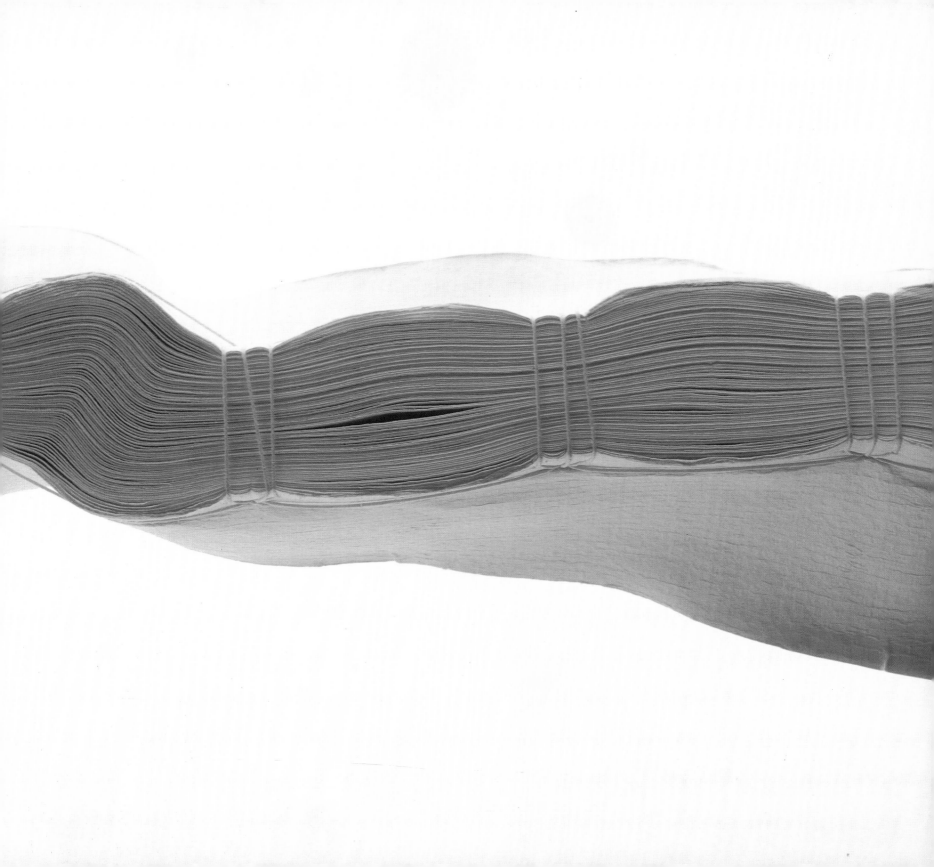

Un remojo en agua para este libro muy sencillo, compuesto por seis secciones, y la libertad de dejarlo secando a su aire, bastaron para darle un aspecto escultural. El detalle de las borlas contribuye a redondear el efecto general. En su confección se emplearon papeles vegetales hechos a mano, dispuestos como una interesante colección de texturas y colores.

REFERENCIAS

GLOSARIO

Algodón, hilas, borra Filamentos de esa planta que se emplean para fabricar **pulpa** de papel.

Alumbre Producto químico que se usa como **mordiente** en el **jaspeado**.

Apresto (cola) Sustancia empleada para hacer menos absorbente el papel; se puede añadir a la **pulpa** durante la elaboración del papel, o aplicarse a la hoja terminada. Los agentes encolantes más conocidos son la gelatina, el almidón y la celulosa. También es la solución en la que se ponen a flotar las pinturas para el **jaspeado**.

Barbas Orillas características del papel hecho a mano cuando se prescinde de la forma.

Blanqueador Solución de cloro que se utiliza para blanquear la **pulpa**.

Bórax Sustancia química que se emplea en la elaboración de papel para suavizar el agua.

Brocha de aire Pulverizador que utiliza aire comprimido para rociar pintura sobre una superficie.

Brocha para goteo Brocha para soltar gotas de pintura dentro del **apresto**, durante el **jaspeado**.

Cabeza, corte de La parte de arriba de un libro, opuesta al **pie**.

Calle Espacio entre dos páginas opuestas de un libro, o la línea donde se encuentran en el centro.

Carragaen (*Chondrus crispus*) Musgo perlado, de Irlanda o coralina, que se añade al apresto en el **jaspeado**.

Delantera o corte delantero Extremo opuesto al lomo del libro.

Encerado, papel Tipo de papel con una cubierta de cera que lo hace impermeable.

Engrudo Pegamento simple formado por la mezcla de harina de trigo y agua (85 g por 1/2 l).

Enrollado Una técnica para dar forma al papel mediante una serie de pliegues ondulados.

Fieltro En manufactura de papel, es la manta sobre la que se recuestan las hojas recién hechas. Ver **recostado**.

Forma Bastidor que se apoya sobre el **molde** y sujeta la capa de pulpa durante la elaboración de papel.

Gelatina Uno de los distintos agentes encolantes.

Golpeado Procedimiento para transformar materias vegetales en **pulpa**.

Guardas Papeles decorados que se colocan al principio y al final del libro, junto a las cubiertas.

Guarnecer Método para unir los papeles engomando solamente la orilla, en lugar de toda la superficie.

Inglete Unión o junta diagonal en la que se encuentran dos trozos de papel en la esquina de

un objeto forrado, como una caja, una bandeja o una cubierta de libro.

Jaspeado Técnica tradicional para decorar el papel formando diseños que suelen semejar las vetas del mármol.

Laminado Unión de dos o más hojas (ya sea de papel, cartón, o ambos) para dar mayor grosor.

Líquido enmascarador Fluido sintético que se despega fácilmente del papel cuando seca. Se puede usar para enmascarillar secciones del papel durante la aplicación selectiva de colores.

Lomo Parte trasera de un libro en donde se unen los cuadernillos.

Macerado En elaboración de papel, el proceso para reducir la fibra a pulpa mediante el golpeado, el rasgado o el desmenuzado.

Marca de agua En una hoja de papel, el logotipo o cualquier otra identificación que se ve más translúcida que el resto de la hoja cuando se pone a contraluz.

Mezcla engrudo-pegamento PVA Pegamente más fuerte que el **engrudo** y de secado más lento que el **PVA**, lo que permite ajustar la colocación de los objetos.

Millboard Cartón laminado muy resistente que se utiliza para cubiertas de libros y cajas de cartón.

Molde En elaboración de papel, el bastidor sobre el que se plasma la hoja de pulpa. En Occidente es rígido y encima tiene estirada una malla fina.

Monotipo Forma simple de imprimir una superficie que se usa una sola vez.

Mordiente En el **jaspeado**, sustancia química que facilita que el papel reciba el color.

Muselina Tipo de gasa aderezada que se emplea en encuadernación.

Nudo de tejedor Tipo de nudo que no se desliza y que se usa para unir dos trozos de hilo.

Ox-gall En el **jaspeado**, un agente dispersor que se utiliza para que los colores se esparzan en el apresto.

Página(s) de cortesía Una o varias hojas lisas (a veces decoradas) que se colocan junto a las **guardas** y que sirven para proteger el libro.

Papel de silicona Papel con tratamiento de silicona al cual no se adhiere nada.

Papel tipo cartridge Papel grueso sin apresto, especial para dibujo o impresión.

Pegamento PVA (acetado de polivinilo) Pegamento plástico de secado bastante rápido que también se usa para sellar superficies porosas.

Pergamino Un escrito o superficie para pintar o escribir hecho de pieles de animales, generalmente ovejas.

Pestaña, vuelta Trozo que sobresale de las orillas del papel con que se forra un objeto y que se dobla hacia el interior.

Pie, corte de Parte de abajo de un libro, opuesta a la **cabeza**.

Plegadora de hueso Herramienta hecha de hueso que sirve para doblar el papel de modo uniforme y preciso sin magullarlo. Lo utilizan los encuadernadores, por ejemplo para moldear las pieles.

Poliuretano Tipo de barniz sintético.

Prensado En elaboración de papel, colocar una pila de hojas recién hechas bajo presión para exprimir el exceso de agua.

Pulpa Materiales usados para elaborar el papel en su estado desintegrado, fibroso y en suspensión.

Recostado Método tradicional para pasar una hoja de papel recién hecha del **molde** al **fieltro** o a una manta para el secado.

Sangrar Dispersión de la tinta o el color aplicados al papel sin cola o apresto.

Tejido, papel Tipo de papel con superficie uniforme, distinto del diseño a líneas de los papeles **vergueteados**.

Témpera Solución de yema de huevo y agua utilizada como medio para hacer pinturas con pigmentos en polvo. Una alternativa es la témpera de caseína de leche.

Tina Recipiente inoxidable y hermético en donde está suspendida la pulpa para elaborar el papel.

Trama En textiles, los hilos que van a lo ancho del telar, contrarios a la urdimbre, que va a lo largo.

Vergueteado, papel Tipo de papel que puesto a contraluz muestra una serie de líneas debidas a finos alambres de cobre, entre otros, que hay

Vitela Material semejante al pergamino, hecho generalmente de piel de cabra o de carnero.

Yap Tipo de orilla que se deja independiente para que cubra la **delantera** de un libro y así proteger las páginas.

Medidas de papeles

	sistema métrico (mm)	sistema inglés (pulgadas)
A0	841 × 1.189	33,11 × 46,82
A1	594 × 841	23,39 × 33,11
A2	420 × 594	16,54 × 23,39
A3	297 × 420	11,69 × 16,54
A4	210 × 297	8,27 × 11,69
A5	148 × 210	5,83 × 8,27

BIBLIOGRAFÍA

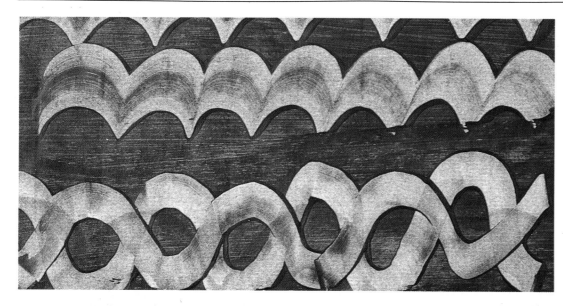

Historial del papel y de consulta general:

American Decorative Papermakers, *Study in the Book Arts* (Busyhaus Press).
American Papel and Pulp Association, *The Dictionary of Paper,* Nueva York, 1940.
Claperton, R. H., *The Papermaking Machine: Its Invention, Evolution and Development,* Oxford (Pergamon Press Ltd), 1967.
Hugues, Sukey, Washi, *The World of Japanese Paper,* Tokio (Kodansha International Ltd), 1978.
Hunter, Dard, Papermaking: *The History and Technique of an Ancient Craft,* 2.ª ed. Londres (Constable), 1978; Nueva York (A. Knopf), 1978.
Labarre, E. J., *Dictionary and Encyclopaedia of Paper and Papermaking,* Oxford (Oxford University Press), 1952.
Lewis, Naphtali, *Papyrus in Classical Antiquity,* Oxford (Oxford University Press), 1974.
Mick, E. W., *Altes Buntpapier,* 1979. Texto alemán. Una asombrosa colección de guardas de libro y papeles de envolver.
Turner, S., *Paper as Image,* Exhibition Catalogue 1983.
Turner, Silvie and Skiold, Birgit, *Handmae Paper Today,* Londres (Lund Humphries Publishers Ltd), 1983. (Una invaluable obra de consulta actualizada.)
Wakeman, Geoffrey, *English Marbled Papers: A Documentary History,* Loughborough, 1978.
World Print Council, *The History and Methods of Fine Papermaking with a Gallery of Contemporary Paper Art,* 1979.

Elaboración de papel:

Barrett, Timothy, *Japanese Papermaking - Traditions, Tools and Techniques,* Nueva York/Tokio (Weatherhill), 1983.
Bell, Lilian, *Plant Fibres for Papermarking* (Lilliacae Press).
Heller, J., *Papermaking* (Watson Guptill).
Higham, Robert, *A Handbook of Papermaking,* Oxford (Oxford University Press), 1963.
Hopkinson, Anthony, *Papermaking at Home,* Wellingborough (Thorsons Publishers Ltd), 1978.
Mason, John, *Papermaking as an Artistic Craft with a note on Nylon Paper,* London (Faber), 1959. Edición revisada, Leicester (Twelve by Eight Press), 1963.
Richardson, M., *Plant Papers: Handmade Papers from Garden Plants and Recycled Papers with Domestic Equipment,* 1981.
Shorter, A. H., *Papermaking in The British Isles,* Exeter (David & Charles), 1971.
Toale, Bernard, *The Art of Papermaking,* Massachusetts (Davis Publications Inc.), 1983.

Artesanía con papel:

Chambers, Anne, *Marbling Paper,* Londres (Thames & Hudson), 1986.
Hauswirth, Johann Jakob & Saugy, Louis David, *Paper Cuts,* Londres (Thames & Hudson), 1980.
Kotik, Charlotta, *With Paper About Paper* (ensayo), Buffalo, Nueva York (Albright-Knox Art Gallery), 1980.
Meilach, Dona Z., *Papier Mâché Artistry,* Londres (Allen & Unwin), 1971.
Rottger, Ernst, *Creative Paper Craft,* Londres (Basford), 1961.
Studley, Vance, *The Art & Craft of Handmade Paper,* Londres (Studio Vista), 1978; Nueva York (Van Nostrand Reinhold Company Inc.), 1977.
Toller, Jane, *Papier Mâché in Great Britain and America,* Londres (G. Bell), 1962 or Regency and Victorian Craft, Londres (Ward Lock Ltd), 1969.

Encuadernación:

Burdett, Eric, *The Craft of Bookbinding,* Londres (David and Charles), 1963.
Designer Bookbinders, *The Directory of Suppliers of Equipment and Materials used in Hand Bookbinding and the Repair and Conservation of Books,* Londres (Designer Bookbinders).
Ikegami, Kojiro, *Japanese Bookbinding, Instructions from a Master Craftsman,* adapted by Barbara Stephan, Nueva York (Weatherhill), 1986.
Johnson, A. W., *Thames & Hudson Manual of Bookbinding,* Londres (Thames & Hudson), 1978.
Lewis, A. W., *Basic Bookbinding,* Londres (B. T. Batsford), 1952; Nueva York, 1957.
Robinson, Ivor, *Introducing Bookbinding,* Londres (B. T. Batsford), 1968; Nueva York (Watson Guptill Publications), 1968.

ÍNDICE

CRÉDITOS

Fotografías
Todas las fotografías de este libro son de Peter Marshall, a excepción de las que aparecen en las siguientes páginas:

9 David Scharf/Science Photo Library
11-13 Jacqui Hurst (fotografiadas en Barcham Green and Company's Hayle Mill, Maidstone)
15 Cas Holmes
16 Jacqui Hurst (Hayle Mill)

Las piezas que aparecen en este libro fueron hechas por:
portadilla: Gill Parris
2 Mary French
3 Jenni Grey
4 Gill Parris
6 Faith Shannon
15 Cas Holmes
18-19 Jenni Grey
20-21 Il Papiro

Hacer papel
23-43 Jenni Grey

Muestrario de papeles
45-60 Faith Shannon

Decoración del papel
63 Hannah Tofts
66-67 Faith Shannon
68-69 Faith Shannon y Hannah Tofts
70 Hannah Tofts
72-75 Jenni Grey
76 Hannah Tofts
78 Faith Shannon y Hannah Tofts
80 Faith Shannon

Jaspeado
83-88 Jenni Grey
92 Gill Parris

Papel en tres dimensiones
95 Hannah Tofts
98 Faith Shannon
99 Jenni Grey
111-115 Faith Shannon
116-117 Hannah Tofts
118 Sharon Hanley
123 Hannah Tofts
125-131 Faith Shannon
132-133 Il Papiro
135 Hannah Tofts
136-137 David Lewis

Encuadernación de libros
142-149 Harriet Topping
153 Gill Parris
154-160 Jenni Grey
165-166 Faith Shannon